ilusões

Obras do autor publicadas pela Editora Record

O dom de voar
Fernão Capelo Gaivota
Fugindo do ninho
Ilusões
Longe é um lugar que não existe
Manual do Messias
O paraíso é uma questão pessoal
A ponte para o sempre
Um

Richard Bach

ilusões

tradução de
Luzia Machado da Costa

38ª edição

EDITORA RECORD
RIO DE JANEIRO • SÃO PAULO
2017

CIP-BRASIL. CATALOGAÇÃO NA FONTE
SINDICATO NACIONAL DOS EDITORES DE LIVROS, RJ.

Bach, Richard, 1936-
B118i Ilusões / Richard Bach; tradução de Luzia Machado
38ª ed. da Costa. – 38ª ed. – Rio de Janeiro: Record, 2017.

Tradução de: Illusions
ISBN 978-85-01-01194-7

1. Crônica norte-americana. I. Costa, Luzia Machado da. II. Título.

93-0203 CDD – 818
CDU – 820(73)-8

TÍTULO ORIGINAL NORTE-AMERICANO:
Illusions

Texto revisado segundo o novo Acordo Ortográfico da Língua Portuguesa.

Impresso no Brasil

ISBN 978-85-01-01194-7

Uma pergunta que me foi feita mais de uma vez, depois de ter publicado *Fernão Capelo Gaivota*: "O que você vai escrever agora, Richard? Depois de *Fernão Capelo*, o quê?"

Respondia então que não era obrigado a escrever mais nada, nem uma palavra; todos os meus livros juntos diziam tudo quanto eu gostaria de dizer. Depois de ter passado fome por algum tempo, ter vendido o carro e esse tipo de coisa, era divertido não ter de trabalhar até a meia-noite.

Não obstante, todos os verões eu ia em meu antigo bimotor para os mares das campinas verdejantes do Meio-Oeste dos Estados Unidos, levava passageiros para passeios de três dólares e começava a sentir de novo uma velha tensão — ainda havia alguma coisa a dizer.

Não gosto nada de escrever. Se conseguir dar as costas a uma ideia, deixando-a miando lá fora no escuro, sem lhe abrir a porta, então nem pego no lápis.

Mas, de vez em quando, em vez do miado, ouço uma grande explosão, como de dinamite, de cacos de vidro e tijolos na parede da frente; então, alguém passa por sobre os escombros e me agarra pelo pescoço, dizendo calmamente: "Não o largarei até que me ponha no papel, em palavras." Foi assim que vim a conhecer *Ilusões*.

No Meio-Oeste, eu ficava deitado de costas, treinando o método mental de fazer as nuvens desaparecerem, e não conseguia parar de pensar na história...

E se aparecesse alguém que fosse realmente bom nesse negócio, que me pudesse ensinar como o meu mundo funciona e como controlá-lo? E se pudesse conhecer um ser muito evoluído... e se um Sidarta ou um Jesus chegasse aos nossos dias, com poder sobre as ilusões do mundo porque conhecia a realidade por trás delas? E se pudesse conhecê-lo pessoalmente, se ele estivesse pilotando um bimotor e pousasse na mesma campina em que eu estivesse? O que ele diria, como seria ele?

Talvez não se parecesse com o Messias nas páginas manchadas de óleo e com cheiro de capim do meu diário; talvez não dissesse nada do que aparece neste livro. Mas, por outro lado, as coisas que me contou: que magnetizamos para nossas vidas tudo o que encerramos em nosso pensamento, por exemplo — se isso é verdade, então, de algum modo, consegui chegar a este momento por algum motivo, e você também. Talvez não seja coincidência o fato de você estar com este livro na mão; pode ser que haja nessas aventuras alguma coisa que o fez vir até aqui. Prefiro pensar assim. E prefiro pensar que o meu Messias está postado lá fora em alguma outra dimensão, nada ficcional, olhando para nós dois, e rindo por estar acontecendo exatamente o que planejáramos que acontecesse.

1

1. Houve um Mestre que veio à Terra, nascido na terra santa de Indiana, criado nos montes místicos a leste de Forte Wayne.

2. O Mestre aprendeu sobre este mundo nas escolas públicas de Indiana e, enquanto crescia, em seu ofício de mecânico de automóveis.

3. Mas o Mestre tinha conhecimentos de outras terras e outras escolas, de outras vidas que vivera. Lembrava-se disso, e, assim sendo, tornou-se sábio e forte, de modo que outros viram a sua força e vieram procurá-lo, em busca de conselhos.

4. O Mestre acreditava que tinha o poder de ajudar a si mesmo e a toda a humanidade, e, acreditando, assim era para ele, de modo que outros viram o seu poder e o procuraram para se curar de seus problemas e suas doenças.

5. O Mestre acreditava que é um bem para qualquer homem considerar-se filho de Deus, e, acreditando, assim era. Então, as oficinas e garagens em que trabalhava se apinhavam com aqueles que buscavam seu conhecimento e o contato com ele, enquanto as ruas lá fora enchiam-se daqueles que somente ansiavam que a sombra de sua passagem caísse sobre eles, modificando suas vidas.

6. Resultou que, por causa das multidões, os vários contramestres e chefes das oficinas pediram ao Mestre que

largasse as ferramentas e seguisse o seu caminho, pois a aglomeração era tal que nem ele nem os outros mecânicos tinham espaço para trabalhar nos automóveis.

7. E assim foi que ele seguiu para os campos, e as pessoas que o seguiam começaram a chamá-lo de Messias e fazedor de milagres; e, como eles acreditavam, assim era.

8. Se ocorria uma tempestade enquanto ele falava, nem uma gota tocava a cabeça de seus ouvintes; o último da multidão ouvia suas palavras tão claramente quanto o primeiro, qualquer que fosse a intensidade dos raios ou trovões no céu. E sempre lhes falava em parábolas.

9. E lhes disse: "Dentro de nós repousa o poder de nosso consentimento para a saúde e a doença, a riqueza e a pobreza, a liberdade e a escravidão. Somos nós que controlamos essas coisas, e não outros."

10. Um moleiro disse: "Essas palavras são fáceis em tua boca, Mestre, pois és guiado e nós não, e não precisas trabalhar como nós. O homem tem de trabalhar para ganhar a vida neste mundo."

11. O Mestre respondeu: "Uma vez havia uma aldeia de criaturas no fundo do leito de um grande rio cristalino.

12. "A corrente do rio passava silenciosamente por cima de todos eles, jovens e velhos, ricos e pobres, bons e maus, a corrente seguindo o seu caminho, só conhecendo o seu próprio ser cristalino.

13. "Cada criatura, a seu modo, agarrava-se fortemente às plantas e pedras do leito do rio, pois agarrar era o seu modo de vida, e resistir à corrente era o que cada um tinha aprendido desde que nascera.

14. "Mas, por fim, uma das criaturas disse: 'Estou cansado de me agarrar. Embora não possa ver com meus próprios olhos, espero que a corrente saiba para onde está indo. Vou soltar-me e deixar que ela me leve para onde quiser. Se me agarrar, morrerei de tédio.'

15. "As outras criaturas riram e disseram: 'Louco! Se você se soltar, essa corrente que adora o lançará despedaçado sobre as pedras, e terá uma morte mais rápida do que a causada pelo tédio!'

16. "Mas ele não lhes deu ouvidos. Respirando fundo, soltou-se e imediatamente foi lançado sobre as pedras e despedaçado pela corrente!

17. "Mas, com o tempo, como ele se recusasse a tornar a se agarrar, a corrente o levantou, livrando-o do fundo, e ele não se machucou nem se magoou mais.

18. "E as criaturas mais abaixo no rio, para quem ele era um estranho, exclamaram: 'Vejam, um milagre! Uma criatura como nós, e no entanto voa! Vejam, é o Messias que chegou para nos salvar!'

19. "E aquele que foi carregado pela corrente disse: Não sou mais Messias do que vocês. O rio tem prazer em nos erguer à liberdade, se ousamos nos soltar.

O nosso verdadeiro trabalho é essa viagem, essa aventura.'

20. "No entanto, cada vez exclamavam mais 'Salvador!', enquanto se agarravam às pedras; quando tornaram a olhar, ele já se fora, e então ficaram sozinhos, inventando lendas sobre um Salvador."

21. E aconteceu que, ao ver que a multidão cada vez o seguia mais de perto, mais arrebatada do que nunca, quando viu que insistiam para que os curasse sem descanso, e sempre os alimentasse com seus milagres, e aprendesse por eles e vivesse suas vidas, foi sozinho para o topo de um morro e rezou.

22. E disse em seu íntimo: Ser Infinito Radioso, se for a Tua vontade, deixa que esta taça

passe de minhas mãos, deixa-me pôr de lado esta tarefa impossível. Não posso viver a vida de uma outra alma, no entanto dez mil me imploraram a vida. Lamento ter permitido que tudo isso acontecesse. Se for a Tua vontade, deixa-me voltar aos motores e às ferramentas e viver como os outros homens.

23. E uma voz lhe falou no topo do morro, uma voz que não era nem de homem nem de mulher, nem forte nem fraca, uma voz infinitamente bondosa: "Não a Minha vontade mas a tua seja feita. Pois o que for a tua vontade será a Minha vontade para ti. Segue o teu caminho como os outros homens e sê feliz na Terra."

24. Ouvindo aquilo o Mestre alegrou-se, deu graças e

desceu do morro cantarolando uma cançãozinha de mecânico. E quando a turba o atormentava com seus males, implorando que os curasse, aprendesse por eles, os alimentasse constantemente com sua compreensão e os divertisse sempre com suas maravilhas, ele sorriu para a multidão e disse, amavelmente: "Eu desisto."

25. Por um momento a multidão ficou muda de espanto.

26. E ele lhes falou: "Se um homem dissesse a Deus que a coisa que mais desejava era auxiliar o mundo sofredor, fosse qual fosse o preço para si, e Deus lhe respondesse o que devia fazer, o homem deveria cumprir o que lhe era ordenado?"

27. "Pois claro, Mestre!", exclamaram. "Devia considerar um prazer sofrer as torturas do próprio inferno, se Deus lhe pedisse!"

28. "Não importa quais fossem essas torturas, nem a dificuldade da tarefa?"

29. "Seria uma honra ser enforcado, uma glória ser pregado a uma árvore e queimado, se fosse isso que Deus pedisse", disseram eles.

30. "E o que fariam vocês", perguntou o Mestre à multidão, "se Deus lhes falasse diretamente, em pessoa e dissesse: 'ORDENO QUE SEJAS FELIZ NO MUNDO, ENQUANTO VIVERES.' O que fariam então?"

31. E a multidão calou-se, não se ouvindo sequer uma voz ou som sobre os morros e através dos vales.

32. E o Mestre disse em meio ao silêncio: "No caminho de nossa felicidade encontraremos o conhecimento para o qual escolhemos esta vida. É assim que aprendi hoje e prefiro deixá-los agora para seguirem o seu caminho como desejarem."

33. E seguiu o seu caminho no meio da multidão, voltando ao mundo cotidiano dos homens e dos motores.

Foi nos meados do verão que conheci Donald Shimoda. Em quatro anos de voos, nunca encontrara outro piloto no mesmo tipo de serviço que faço: voando conforme o vento, de cidade em cidade, cobrando três dólares por dez minutos de passeio num velho biplano.

Mas um dia, bem ao norte de Ferris, Illinois, olhei da cabine de meu *Fleet* e lá estava um velho *Travel Air* 4.000, dourado e branco, pousado calmamente no capim cor de esmeralda e limão.

Levo uma vida livre, mas às vezes me sinto meio solitário. Vi o biplano ali, pensei a respeito alguns segundos e resolvi que não faria mal algum dar um pulo até lá. Passei para a marcha lenta, numa glissada com todo o leme, e o *Fleet* e eu fomos caindo de lado para o solo. O vento na fiação, aquele som suave e agradável, o poc-poc lento do velho motor rodando a hélice com preguiça. Óculos colocados sobre a cabeça, para não impedirem uma perfeita visão da aterrissagem. Os pés de milho passando embaixo como uma floresta de folhagem verde, o piscar de uma cerca e depois o feno recém-cortado, até onde a vista alcançava. Manche e leme endireitando a glissada, uma boa aproximação sobre o solo, o feno roçando os pneus e depois o conhecido e calmo ronco da terra dura sob as rodas, mais devagar, mais devagar e depois um surto repentino de barulho e força para taxiar para junto do outro avião e parar. Manete em posição de marcha lenta, desligando, o claque-claque baixinho da hélice parando no sossego total de julho.

O piloto do *Travel Air* estava sentado no feno, encostado na roda esquerda do seu avião, e ficou me olhando.

Durante meio minuto também olhei-o, observando o mistério da sua calma. Não teria ficado tão calmo ao ver outro avião pousar no campo em que eu estava, parando a apenas dez metros de mim. Meneei a cabeça, gostando dele sem saber por quê.

— Você parece solitário — falei, através da distância que nos separava.

— E você também.

— Não quero importuná-lo. Se incomodo, vou embora.

— Não. Estava à sua espera.

Sorri ao ouvir aquilo.

— Desculpe o atraso.

— Não tem importância.

Tirei o capacete e os óculos, saltei da cabine. É uma sensação confortante, depois que a gente passa algumas horas no *Fleet*.

— Espero que não se importe de comer presunto com queijo — disse ele. — Presunto com queijo e talvez uma formiga.

Não houve aperto de mãos, nem apresentação de espécie alguma.

Não era um homem grande. Cabelos até os ombros, mais negros do que a borracha do pneu em que estava encostado. Olhos escuros como os de uma águia, do tipo que aprecio num amigo, e que em outras pessoas me deixam muito intranquilo. Pensei que aquele camarada poderia ser um mestre de caratê, a caminho de uma nova demonstração em algum lugar.

Aceitei o sanduíche e uma caneca de água de uma garrafa térmica.

— Quem é você, afinal? — perguntei. — Há anos que venho fazendo esses voos de passageiros e nunca vi outro piloto amador nos campos.

— Não há muita coisa mais que eu saiba fazer — disse ele, bastante contente. — Um pouco de mecânica, trabalho de soldador, dirigir tratores; se ficar muito tempo num lugar, arranjo problemas. De modo que adotei o avião e agora estou no negócio de piloto amador.

— Que tipo de trator? — Sou louco por tratores a diesel desde criança.

— D-8, D-9. Só por pouco tempo, em Ohio.

— D-9! Grandes como uma casa! Mudanças duplas. É verdade que podem mover montanhas?

— Há meios melhores de mover montanhas — disse ele, com um sorriso que durou talvez um décimo de segundo.

Encostei-me um instante na asa inferior do avião do homem e fitei-o. Uma ilusão de ótica... era difícil olhar de perto para ele. Como se houvesse uma luz em volta da sua cabeça, esmaecendo num prateado bem suave.

— Tem alguma coisa errada? — perguntou.

— Que tipo de problemas você tinha?

— Ah, nada de mais. É só que gosto de ficar me mexendo, assim como você.

Peguei o sanduíche e caminhei em volta de seu avião. Era um motor de 1928 ou 1929, sem um arranhão sequer. As fábricas já não constroem aviões como aquele parado ali no feno. Pelo menos vinte camadas de verniz de butirato aplicado à mão, a tinta como um espelho, ajustada na armação de madeira do veículo. A palavra *Don*, folheada a ouro velho, sob a borda da cabine; o certificado no estojo de mapas dizia *D. W. Shimoda*. Os instrumentos de voo, retirados da embalagem, eram de 1928. O manche e a barra do leme eram de carvalho envernizado; manete, mistura e adiantamento de ignição à esquerda. Hoje não se vê mais adiantamento de ignição nem nas antiguidades mais bem restauradas. Nenhum arranhão em lugar algum, nenhum remendo na tela, nem uma única mancha de óleo na capota. Não se via uma só haste de palha no chão da cabine, como se a aeronave não tivesse voado realmente, e sim se materializado naquele lugar por alguma viagem no tempo de meio século. Senti um calafrio na nuca.

— Há quanto tempo está fazendo transporte de passageiros? — perguntei-lhe do outro lado do avião.

— Há mais ou menos um mês, cinco semanas...

Estava mentindo. Depois de cinco semanas nos campos, seja você quem for, obrigatoriamente terá sujeira e óleo no avião e palha no chão da cabine. Mas aquela aeronave... sem óleo no para-brisa, sem manchas de feno nas bordas da frente das asas e da cauda ou insetos esmagados na hélice. Isso não é possível para um avião que voe pelo Illinois no verão. Examinei o *Travel Air* por mais uns cinco minutos, voltei e me sentei no feno, debaixo da asa, defronte do piloto. Não estava com medo, continuava a gostar do sujeito, mas havia alguma coisa errada.

— Por que não me conta a verdade?

— Eu lhe disse a verdade, Richard — falou.

Meu nome também estava pintado no meu avião.

— Pode uma pessoa transportar passageiros durante um mês num *Travel Air* sem que o avião fique com um pouco de óleo e poeira, meu amigo? Um remendo na tela? E, pelo amor de Deus, palha no chão?

Sorriu calmamente.

— Há certas coisas que você não sabe.

Naquele momento ele era uma pessoa estranha de outro planeta. Acreditava no que ele dizia, mas não conseguia explicar o seu avião perfeito parado ali no campo no verão.

— Isso é verdade. Mas algum dia hei de saber de tudo. E então você poderá ficar com o meu avião, Donald, pois não precisarei dele para voar.

Ele me olhou, interessado, e ergueu as sobrancelhas pretas.

— Ah, é? Conte-me.

Fiquei encantado. Alguém queria ouvir a minha teoria!

— Durante muito tempo as pessoas não podiam voar, creio, porque achavam que isso não era possível; assim, naturalmente, não aprenderam nem os rudimentos da aerodinâmica.

Quero crer que existe algum outro princípio em algum outro lugar: não precisamos de aviões para voar, para atravessar paredes ou para ir a outros planetas. Podemos aprender a fazer isso sem aeronaves em qualquer lugar. Se quisermos.

Ele deu um meio sorriso, sério, e fez que sim com a cabeça.

— E acha que aprenderá o que deseja transportando passageiros por três dólares.

— Os únicos conhecimentos que me interessam são os que aprendi por mim, fazendo o que quero fazer. Sei que não existe, mas se existisse na Terra uma criatura que pudesse me ensinar o que quero saber mais que meu avião e o céu, iria procurá-la agora mesmo.

Os olhos escuros me fitaram, sérios.

— Você não acha que está sendo orientado, se quer mesmo aprender isso?

— Sim, sendo orientado. Mas todos não são? Sempre tive a impressão de que havia alguma coisa me vigiando.

— E você acha que será levado a um Mestre que poderá lhe ajudar.

— Se o Mestre por acaso não for eu mesmo, sim.

— Talvez seja assim que aconteça — disse ele.

Um furgão moderno e novo veio vindo pela estrada para junto de nós, levantando uma névoa marrom de poeira, e parou junto ao campo. A porta abriu-se e saltaram um homem e uma garota com cerca de dez anos. A poeira continuava no ar e tudo estava parado.

— Você faz passeios? — perguntou o homem.

O campo fora descoberto por Donald Shimoda, portanto, fiquei calado.

— Sim, senhor — disse ele, animado. — Está com vontade de voar hoje?

— Se estivesse, você faria acrobacias, daria cambalhotas comigo lá em cima?

Os olhos do homem brilhavam, querendo ver se nós o conhecíamos por trás de sua conversa de caipira.

— Faço se você quiser, não faço se não quiser.

— E imagino que cobre uma fortuna.

— Três dólares por dez minutos de voo, senhor. São mais ou menos 33 centavos por minuto. E vale, é o que me diz a maior parte das pessoas.

Era uma sensação estranha, de espectador, ficar ali sentado à toa, ouvindo aquele camarada fazer negócio. Gostei de sua maneira de falar com calma. Já estava tão acostumado ao meu jeito de arranjar passageiros (*"Garanto que é dez graus mais fresco lá em cima, pessoal! Vamos subir para onde só voam os passarinhos e os anjos! Tudo isso apenas por três dólares, algumas moedas de seu bolso..."*) que tinha esquecido que podia haver outras maneiras.

Há uma tensão quando a gente voa e vende os voos sozinho. Estava acostumado com aquilo, mas, se não transportasse os passageiros, não comia. Então, já que podia ficar sentado sem depender do resultado para o meu jantar, descansei, uma vez na vida, e fiquei olhando.

A pequena também ficou olhando. Loira, de olhos castanhos, cara solene, estava ali porque o avô estava. Não queria voar.

Na maioria das vezes é o contrário, os garotos ansiosos e os velhos cautelosos, mas a gente acaba encontrando um sentido nisso, quando se trata do ganha-pão; sabia que aquela pequena não ia voar conosco, nem que esperássemos o verão inteiro.

— Qual dos senhores...? — perguntou o homem.

Shimoda serviu-se de uma caneca de água.

— Richard os levará. Ainda estou na minha hora de almoço. A não ser que prefiram esperar.

— Não, senhor. Estou pronto para ir. Podemos voar por cima de minha fazenda?

— Claro — falei. — Basta o senhor mostrar para onde quer ir.

Tirei o meu colchonete, a sacola de ferramentas e as panelas do assento da cabine da frente do *Fleet*, ajudei o homem a sentar-se no lugar dos passageiros e apertei seu cinto de segurança. Depois fui para a cabine de trás e apertei o meu cinto.

— Dê um impulso, sim, Don?

— Tá. — Trazendo a caneca consigo, ele ficou ali junto à hélice. — O que é que você quer? — perguntou.

— Esquentar os freios. Impulsione devagar. A hélice se soltará de sua mão assim que começar a girar.

Toda vez que alguém tenta dar impulso à hélice do *Fleet*, o faz rápido demais e, por motivos complexos, o motor não pega. Mas aquele homem a impulsionou bem devagar, como se tivesse feito aquilo a vida toda. A mola de impulso estalou, as fagulhas se acenderam nos cilindros e o velho motor começou a funcionar com toda facilidade. Ele voltou para o seu avião, sentou-se e começou a conversar com a pequena.

Com um estouro de força bruta de HP e palhas esvoaçantes, o *Fleet* estava no ar, subindo 30 metros (se o motor enguiçar agora, pousamos no meio do milho), 150 metros (agora, podemos virar e pousar no meio do feno... agora, o pasto de gado a oeste), 240 metros; nivelamos, acompanhando o dedo que o homem apontava pelo vento, a sudoeste.

Depois de três minutos no ar, passamos por um sítio, com cocheiras da cor de brasas e uma casa de marfim num mar de grama. Uma horta nos fundos, para a comida: milho verde, alface e tomates plantados.

O homem na cabine da frente olhou para baixo enquanto circundávamos a casa enquadrada entre as asas e os cabos do *Fleet*.

Apareceu uma mulher na varanda, com um avental branco por cima do vestido azul, que acenou. O homem acenou também. Mais tarde comentariam que se viram muito bem através do céu.

Por fim ele me olhou, meneando a cabeça como para dizer que bastava, obrigado, e que agora podíamos voltar.

Dei uma volta ampla acima de Ferris, para o pessoal saber que havia passeios aéreos, e desci em espiral pelo campo de feno, para mostrar bem onde era o negócio. Quando dei a volta para pousar, inclinando-me sobre o milho, o *Travel Air* decolou e virou logo para a fazenda que tínhamos acabado de deixar.

Certa vez voei com um grupo de exibição de cinco aeronaves, e por um momento tive aquela sensação de atividade: um avião alçando voo com passageiros, enquanto outro pousa. Tocamos a terra com um ronco suave e rolamos até a extremidade do feno, junto à estrada.

O motor parou, o homem soltou o cinto de segurança e o ajudei a saltar. Pegou uma carteira do macacão e contou as notas de dólar, sacudindo a cabeça.

— Foi um passeio e tanto, filho.

— Achamos que sim. Estamos vendendo um bom produto.

— É o seu amigo que está fazendo as vendas!

— Ah, é?

— Se é! O seu amigo conseguiria vender cinzas ao diabo, posso apostar. Não poderia?

— Por que diz isso?

— Por causa da garota, claro. Um passeio de avião para a minha neta Sarah!

Enquanto falava, ele olhava para o *Travel Air*, como um inseto prateado distante, contornando a casa da fazenda. Falava como o homem calmo que nota que o galho seco no quintal acaba de dar brotos e maçãs maduras.

— Desde que nasceu, tem pavor de lugares altos. Grita, apavorada. Era mais fácil Sarah mexer com marimbondos com as mãos do que subir numa árvore. Tem medo de subir a escada para o sótão, não iria para lá nem que houvesse um dilúvio no quintal. A pequena é uma maravilha com máquinas, não tem dificuldade com os animais, mas as alturas lhe causam horror! E lá está ela, no ar.

Continuou falando sobre aquelas e outras ocasiões especiais: lembrava-se de quando os pilotos amadores iam a Galesburg, anos antes, e a Monmouth, voando em biplanos como nós, mas fazendo tudo quanto era acrobacia maluca com eles.

Fiquei olhando o *Travel Air* distante crescer, espiralar sobre o campo numa inclinação maior do que eu jamais faria com uma pequena que tivesse fobia das alturas, passar por cima do milho e da cerca e tocar o feno num pouso de três pontos que era um assombro. Donald Shimoda devia voar havia muito tempo, para conseguir pousar com um *Travel Air* daquele jeito.

O avião rolou e parou do nosso lado, sem precisar de mais força; a hélice foi parando aos poucos, suavemente. Olhei bem de perto. Não havia insetos na hélice. Não havia uma única mosca morta naquela lâmina de dois metros e meio.

Apressei-me a ajudar, soltei o cinto de segurança da menina, abri a portinhola da cabine da frente e lhe mostrei onde devia pisar, para que seu pé não rompesse a tela da asa.

— Então, que tal? Gostou? — perguntei.

Ela nem me ouviu falar.

— Vovô, não tenho medo! Não fiquei com medo, juro! A casa parecia um *brinquedinho*, e mamãe me deu tchau, e Don disse que, só porque uma vez eu caí e morri, não é motivo para ter medo agora! Vou ser pilota, vovô. Vou ter um avião, trabalhar no motor e voar para toda parte e levar passageiros! Posso fazer isso?

Shimoda sorriu para o homem e deu de ombros.

— Ele lhe disse que você vai ser pilota, foi, Sarah?

— Não, mas vou. Já sou boa com os motores, você sabe disso!

— Bem, você pode conversar a respeito com sua mãe. Está na hora de ir para casa.

Os dois nos agradeceram e se foram, ele caminhava e ela corria para o furgão, ambos modificados pelo que acontecera no campo e no céu.

Chegaram dois carros, e depois mais outro, e tivemos um movimento grande no meio do dia, muita gente queria ver Ferris lá de cima. Fizemos uns 12 ou 13 voos, o mais rápido que podíamos, e depois disso fui até o posto de gasolina da cidade para arranjar combustível para o *Fleet*. Depois, alguns passageiros, mais alguns, e já era tarde; voamos sem parar até o pôr do sol.

Uma placa comunicava: *População 200 habitantes*, e quando escureceu eu achava que os tínhamos levado todos para passear, bem como alguns de fora da cidade.

Naquela atividade toda, eu me esqueci de perguntar a respeito de Sarah e do que Don lhe dissera, se ele tinha inventado a história ou se achava que fosse verdade, sobre morrer. E de vez em quando eu ficava examinando seu avião atentamente, enquanto os passageiros se revezavam. Não havia uma só marca, uma gota de óleo em lugar algum: era como se voasse fugindo dos insetos que eu tinha de limpar de meu para-brisa a cada duas horas.

Só restava um pouquinho de luz no céu no momento em que paramos. Quando pus as espigas de milho em meu forninho de metal, cobrindo-as com carvão, e acendi o fogo, já estava bem escuro, o fogo fazendo refletir as cores dos aviões e da palha dourada em volta de nós.

Espiei na caixa de mantimentos.

— Pode ser sopa, cozido ou espaguete — disse eu — ou peras ou pêssegos. Quer uns pêssegos quentes?

— Não faz diferença — disse ele, com calma. — Qualquer coisa, ou nada.

— Não está com fome, rapaz? Foi um dia movimentado!

— O que você tem aí não me deu muita vontade de comer, a não ser que o cozido seja bom.

Abri a lata de cozido com o meu canivete suíço de mil e uma utilidades, fiz o mesmo com o espaguete, e coloquei as latas sobre o fogo.

Meus bolsos estavam cheios de dinheiro... era uma das horas mais agradáveis do dia para mim. Tirei as notas e contei, sem me preocupar em dobrá-las direito. Eram 147 dólares — fiz a conta de cabeça, o que para mim não é fácil.

— Isso... isso... vamos ver... quatro e vão dois... 49 voos hoje! Um dia de mais de cem dólares, Don, só eu e o *Fleet*! Você deve ter feito duzentos, fácil... Voa em geral com dois passageiros?

— Em geral — disse ele. — Quanto a esse professor que você anda procurando...

— Não estou procurando professor algum — respondi. — Estou contando dinheiro! Posso viver uma *semana* disso, pode chover sem parar uma semana inteira sem que eu precise voar!

Ele olhou para mim e sorriu.

— Depois que você acabar de nadar no dinheiro — disse —, pode me passar o cozido?

3

Amontoados, massas, multidões de pessoas, torrentes de humanidade se despejando sobre um homem no meio de todos. Depois o povo se transformou em um oceano capaz de afogar o homem; no entanto, ele caminhou sobre o oceano, assobiando, e desapareceu. O oceano de águas se metamorfoseou em um oceano de capim. Um *Travel Air* 4.000, branco e dourado, pousou no capim; o piloto saltou da cabine e pendurou um cartaz de pano: *VOO — US$ 3 — VOO.*

Eram três horas da madrugada quando acordei do sonho, lembrando de tudo e, por algum motivo, contente com aquilo. Abri os olhos para ver, ao luar, o grande *Travel Air* parado ao lado do *Fleet*. Shimoda estava sentado sobre seu colchonete como da primeira vez que o vi, encostado à roda esquerda de seu avião. Não o via claramente, mas sabia que estava ali.

— Olá, Richard — disse ele, baixinho, no escuro. — Isso lhe conta o que está acontecendo?

— O que me conta? — perguntei, confuso.

Eu ainda estava recordando e nem fiquei surpreso ao ver que ele estava acordado.

— O seu sonho. O camarada, o povo e o aeroplano — disse ele, com paciência. — Estava curioso a meu respeito, de modo que agora já sabe, certo? Havia os noticiários: Donald Shimoda, que começava a ser chamado de o Messias Mecânico, a Encarnação Americana, e que um dia desapareceu diante de 25 mil testemunhas oculares.

Lembrei-me daquilo; tinha lido a notícia numa banca de jornais de uma cidadezinha do Ohio, pois estava na primeira página do jornal.

— Donald Shimoda?

— Às suas ordens — disse ele. — Agora já sabe, portanto não precisa mais se intrigar comigo. Vá dormir de novo.

Pensei naquilo por muito tempo, antes de dormir.

— Permitem que você... eu não achava... você com um trabalho desses, o Messias, supõe-se que você vá salvar o mundo, não é? Não sabia que o Messias podia desistir assim tão simplesmente. — Sentei-me na capota do *Fleet* e fiquei olhando para o meu estranho amigo. — Jogue uma chave de 9/16, por favor, Don.

Ele procurou no saco de ferramentas e me jogou a chave. Como acontecera com as outras ferramentas naquela manhã, esta também diminuiu de velocidade e parou, flutuando no ar, a meio metro de mim. Mas no momento em que a toquei, ficou pesada em minha mão; uma chave de avião, comum, de cromo e vanádio. Bem, nem tão comum. Desde que uma 7/8 barata quebrou em minha mão, tenho comprado as melhores ferramentas que o homem pode ter... Aquela por acaso era uma Snap On, que, como qualquer mecânico sabe, não é uma chave comum. Parece até que é feita de ouro, pelo preço que custa, mas é uma alegria para as mãos e não quebra nunca, por mais que você a use.

— Claro que você pode desistir! Pode largar tudo o que quiser. Pode deixar de respirar, se desejar. — Ele fez flutuar uma chave de fenda Phillips, para divertir-se. — Assim, desisti de ser o Messias, e se eu parecer um tanto na defensiva talvez seja porque ainda esteja um pouco na defensiva. Melhor isso do que continuar com o trabalho e detestá-lo. Um bom Messias não odeia nada e é livre para seguir qualquer caminho que deseje trilhar. Bem, isso se aplica a todo mundo, claro. Somos todos filhos de Deus, ou filhos do Ser, ou ideias da Mente, ou seja como for que você queira chamar a isso.

Trabalhei para apertar as porcas de base dos cilindros do motor Kinner. Uma boa máquina, o velho B-5, mas essas porcas tendem a soltar-se depois de umas cem horas de voo, mais ou menos, e é conveniente a gente sempre estar prevenido. E, como esperado, a primeira em que apliquei a chave girou um quarto de volta, e fiquei contente por ter tido a previdência de verificá-las todas naquela manhã, antes de levar mais passageiros.

— Bem, sim, Don, mas parece que ser Messias deveria ser diferente de outros trabalhos, sabe? Jesus voltando a martelar os pregos, para ganhar a vida? Talvez pareça estranho.

Ele pensou naquilo, querendo entender o meu ponto de vista.

— Não concordo com o que você diz. O estranho nisso tudo é ele não ter desistido quando começaram a chamá-lo de Salvador. Em vez de se retirar diante dessa notícia, ele tentou usar a lógica: "OK, sou o filho de Deus, mas não somos todos filhos de Deus? Sou o Salvador, mas vocês também são! As coisas que faço, vocês podem fazer! Qualquer pessoa de bom senso compreende isso."

Estava quente ali na capota, mas me sentia como se não estivesse trabalhando. Quanto mais quero fazer uma coisa, menos chamo a isso de trabalho. Era bom saber que eu estava impedindo que os cilindros voassem do motor.

— Diga que você quer outra chave — disse ele.

— Não quero outra chave. E acontece que estou tão adiantado espiritualmente que considero esses seus truques como simples brincadeiras de salão, Shimoda, de uma alma moderadamente evoluída. Ou talvez um hipnotizador principiante.

— Um hipnotizador! Rapaz, você está ficando quente! Mas é melhor ser hipnotizador do que Messias. Que trabalho chato! Por que eu não sabia que não ia ser um trabalho legal?

— Você sabia, sim — disse eu, astutamente.

Ele apenas riu.

— Você já pensou, Don, que pode não ser assim tão fácil desistir? Que você pode não se ambientar à vida de um ser humano normal?

Não achou graça desta vez.

— Você tem razão — disse ele, e passou os dedos pelos cabelos pretos. — Se eu passasse mais de um ou dois dias em algum lugar, as pessoas saberiam que eu tinha algo de estranho. Encoste-se na manga da minha camisa, você vai se curar de um câncer fatal, e no fim de uma semana lá estarei eu de volta no meio de uma multidão. Este avião me mantém em movimento, e ninguém sabe para onde vou em seguida, o que me agrada.

— Você vai ter mais dificuldades do que pensa, Don.

— Ah, é?

— É, todo o movimento dos nossos tempos é do material para o espiritual... embora seja lento, ainda assim é um movimento bem grande. Não creio que o mundo vá deixá-lo em paz.

— Não sou eu que eles querem, são os milagres! E isso posso ensinar a outro; ele que seja o Messias. Não lhe direi que é um trabalho chato. E, além disso, *"não existe nenhum problema que seja tão grande que não se possa fugir dele"*.

Desci da capota e comecei a apertar as porcas dos cilindros três e quatro. Algumas estavam soltas.

— Você está citando o Snoopy dos quadrinhos, me parece.

— Citarei a verdade onde a encontrar, obrigado.

— Você não pode fugir, Don! E se eu começar a adorá-lo neste minuto? E se eu me cansar de trabalhar no motor e começar a lhe implorar que o conserte para mim? Olhe, eu lhe darei todos os centavos que ganhar desde agora até o pôr do sol se me ensinar a flutuar no ar! Se você não fizer isso, então saberei que tenho de começar a rezar para você, o Santo Enviado para Aliviar o meu Fardo.

Limitou-se a sorrir. Acho que ele ainda não compreendera que não poderia fugir. Como eu podia saber disso, se ele não o sabia?

— Você teve o programa completo, como a gente vê nos filmes na Índia? As multidões nas ruas, bilhões de mãos o tocando, flores e incenso, plataformas douradas com tapeçarias prateadas para você pisar enquanto falava?

— Não. Antes mesmo de pedir esse trabalho, sabia que não suportaria isso. Por isso escolhi os Estados Unidos, e só tive as multidões.

Era doloroso para ele recordar, e me arrependi de ter tocado no assunto.

Ficou sentado no feno, falando, olhando através de mim.

— Eu queria dizer: "Se vocês tanto desejam a liberdade e a alegria, não podem ver que não se encontram em nenhum lugar fora de vocês? Digam que as têm e assim será! Ajam como se fossem suas, e serão!" Richard, o que há de tão difícil nisso? Mas a maioria nem ouviu. Milagres. Assim como iam às corridas de automóveis para ver as batidas, iam ver os milagres. De início, é frustrante; depois de algum tempo, fica detestável. Não tenho ideia de como os outros Messias podiam suportá-lo.

— Quando você fala essas coisas, parece que perde parte do encanto — falei. Apertei a última porca e guardei as ferramentas. — Para onde vamos hoje?

Ele foi até a minha cabine e, em vez de limpar os insetos do meu para-brisa, passou a mão sobre as criaturinhas esmagadas, e elas tornaram a viver e voaram para longe. É certo que o seu para-brisa nunca precisaria de limpeza, assim como o seu motor, eu sabia agora, nunca precisaria de manutenção.

— Não sei — disse ele. — Não sei para onde vamos.

— O que quer dizer? Você conhece o passado e o futuro de todas as coisas. Sabe exatamente para onde vamos!

Ele deu um suspiro.

— É. Mas procuro não pensar nisso.

Durante algum tempo, enquanto trabalhava com os cilindros, pensei: "Puxa, basta eu ficar com esse camarada e não terei mais problema, nada de mau vai acontecer e tudo vai dar certo." Mas o modo como ele disse "procuro não pensar nisso" me fez recordar o que acontecera com os outros Messias mandados a este mundo. O bom senso me gritava que eu devia rumar para o sul e me afastar o mais possível desse camarada. Mas, como já disse, é um pouco monótono voar assim sozinho, e estava contente por tê-lo encontrado, pelo simples prazer de ter alguém com quem conversar, alguém que conhecesse a diferença entre um aileron e um estabilizador vertical.

Devia ter virado para o sul, mas, depois de levantar voo, segui com ele para o norte e leste, para aquele futuro sobre o qual ele procurava não pensar.

— Onde você aprende tudo isso, Don? Você sabe tanta coisa, ou talvez eu é que pense isso. Você sabe mesmo um bocado. É tudo prática? Não há um treinamento especial para ser Mestre?

— Dão-nos um livro para ler.

Pendurei nos cabos do avião um lenço de seda que acabara de lavar e fiquei olhando para ele.

— Um livro?

— *O Manual do Salvador*. É uma espécie de bíblia para os Mestres. Tenho um exemplar aqui, se você estiver interessado.

— Sim! Sim! Quer dizer, um livro de verdade, que diz como...?

Procurou por trás do porta-bagagem do *Travel Air* e encontrou um livrinho aparentemente encadernado em camurça.

Manual do Messias,

Lembretes para a Alma Avançada

— Por que você disse *Manual do Salvador*? Está escrito aqui *Manual do Messias*.

— É algo assim. — Começou a pegar as coisas em volta do avião, como se estivesse na hora de partir.

Folheei o livro, uma coleção de máximas e parágrafos curtos.

Perspectiva —
Use-A ou perca-A.
Se virou para esta página,
esqueceu-se de que aquilo que se passa
em volta de você não é realidade.
Pense nisso.
Lembre-se de onde veio,
para onde vai e por que você criou
a confusão em que se meteu para começar.
Você terá uma morte horrível, lembre-se.
Tudo é um bom treino, e você gostará
mais se conservar os fatos
em mente.

Mas leve a sua morte a sério.
Rir a caminho de sua execução
não é normalmente compreendido por formas
de vida menos avançadas, e
o chamarão de doido.

— Você já leu isso, sobre perder a sua perspectiva, Don?

— Não.

— Diz que você terá uma morte horrível.

— Não necessariamente. Depende das circunstâncias e de como se sente quanto a organizar as coisas.

— Você vai ter uma morte horrível?

— Não sei. Não interessaria muito agora que já larguei o emprego, não acha? Uma ascensãozinha sossegada deve bastar. Vou resolver dentro de algumas semanas, depois que terminar de fazer o que vim fazer.

Achei que estava brincando, como fazia de vez em quando, e então eu não sabia que estava falando a sério quanto a algumas semanas.

Continuei a ler o livro. Era o tipo de conhecimento de que um Mestre necessitaria, certamente.

Aprender
é descobrir
aquilo que você já sabe.
Fazer é demonstrar que
você o sabe.
Ensinar é lembrar aos outros
que eles sabem tanto quanto você.
Vocês são todos aprendizes,
fazedores, professores.

A sua única
obrigação em qualquer vida
é ser sincero consigo mesmo.
Ser sincero com outra pessoa ou
outra coisa não só
é impossível como ainda é a
marca de um falso
Messias.

As

perguntas mais simples

são as mais profundas.

Onde você nasceu? Onde é o seu lar?

Para onde vai?

O que está fazendo?

Pense sobre

isso de vez em quando e

observe as suas respostas

se modificarem.

Você

ensina melhor

o que mais precisa

aprender.

— Você está muito quieto aí, Richard — disse Shimoda, como se quisesse conversar comigo.

— É — falei, e continuei a ler.

Se aquele era um livro só para Mestres, eu não o queria largar.

Viva
de modo a nunca
se arrepender se algo que você faça
ou diga for publicado
pelo mundo afora —
mesmo que
o que for publicado
não seja verdade.

Os seus amigos
o conhecerão melhor
no primeiro minuto em que se conhecerem
do que
os seus conhecidos
o conhecerão em
mil
anos.

O
melhor meio
de fugir à responsabilidade
é dizer: "Tenho
responsabilidades."

Notei uma coisa estranha no livro.

— As páginas não têm números, Don.

— Não — disse ele. — É só abri-lo, e o que você mais precisar estará ali.

— Um livro mágico!

— Não. Você pode fazer isso com qualquer livro. Pode fazê-lo com um jornal velho, se ler com cuidado. Você nunca fez isso, estar com um problema na cabeça e depois abrir qualquer livro à mão e ver o que ele lhe diz?

— Não.

— Bem, experimente um dia.

Experimentei. Fechei os olhos e pensei no que me aconteceria se eu ficasse mais muito tempo com essa pessoa estranha. Era divertido ficar com ele, mas não podia me livrar da ideia de que alguma coisa nada divertida ia acontecer dentro de pouco tempo, e não queria estar por perto nesta ocasião. Pensando nisso, abri o livro e li.

Você é levado
em sua vida
pela criatura viva interior,
o ser espiritual brincalhão
que é o seu ser verdadeiro.
Não dê as costas
a possíveis futuros
antes de ter certeza de que não tem
nada a aprender com eles.
Você está sempre livre
para mudar de ideia e
escolher um futuro, ou
um passado
diferentes.

Escolher um passado diferente? Literalmente, figuradamente, ou como é que seria?

— Acho que estou confuso, Don. Não sei como poderia aprender esse negócio.

— Com a prática. Um pouco de teoria e muita prática — disse ele. — Você deve levar uma semana e meia.

— Uma semana e meia.

— É. Acredite que sabe todas as respostas, e as saberá realmente. Acredite que é um Mestre, e assim será.

— Eu nunca disse que queria ser Mestre.

— Isso mesmo — disse ele. — Você não disse.

Fiquei com o *Manual,* e ele nunca o pediu de volta.

5

Os lavradores do Meio-Oeste necessitam de uma terra boa para que seu trabalho prospere. Os aviadores ciganos também. Têm de estar perto de seus fregueses. Precisam encontrar, a um quarteirão da cidade, campos de capim, feno, aveia ou trigo cortado rente; sem gado por perto para comer a tela de seu avião; próximo a uma estrada, para possibilitar o acesso de carros; com uma porteira na cerca, para as pessoas passarem; os campos dispostos de modo que o avião não tenha de voar baixo por cima de uma casa sequer; bastante lisos, para que suas aeronaves não sejam despedaçadas ao rolar a 80km/h pelo solo; bastante compridos para a decolagem e a aterrissagem nos dias quentes e calmos do verão; e permissão do proprietário para voar ali por um dia.

Pensei nisso, enquanto voávamos para o norte, naquela manhã de sábado, o Messias e eu, o verde e ouro da terra passando suavemente sob nós, a uma distância de 300 metros. O *Travel Air* de Donald Shimoda flutuava ruidosamente junto à asa direita do meu *Fleet*, refletindo a luz do sol em todas as direções. Um belo avião, pensei, mas grande demais para as épocas realmente ruins daquele negócio. É verdade que transporta dois passageiros de cada vez, porém pesa duas vezes mais do que o *Fleet*, e, portanto, precisa de um campo muito maior para decolar e pousar. Já tive um *Travel Air*, mas troquei-o pelo *Fleet*, que pode aterrissar em campos pequenos, muito mais fáceis de se encontrar perto das cidades do interior. Podia usar um campo de 150 metros com o *Fleet*, enquanto o *Travel Air* precisava no mínimo de 300 a 310 metros. Se você se prende a esse camarada, pensei, estará se prendendo aos limites do avião dele.

E, de fato, no momento em que pensei aquilo, avistei um bom pastozinho de gado junto à cidade sobre a qual voávamos. Era um pasto padrão de fazenda, de 400 metros, cortado ao meio, a outra metade vendida à cidade para um campo de beisebol.

Sabendo que o avião de Shimoda não podia pousar ali, reclinei a minha maquininha voadora sobre a asa esquerda, levantei o nariz dela, passei firme para a marcha lenta e deixei a aeronave cair como uma pedra em direção ao campo de beisebol. Tocamos a grama logo depois da cerca do campo esquerdo e rolamos até parar, com espaço de sobra. Queria me exibir um pouco, mostrar a ele o que pode fazer um *Fleet*, quando pilotado com perícia.

Uma aceleração rápida me fez girar para tornar a decolar, mas, quando me virei, lá estava o *Travel Air*, preparando-se para a aproximação final do pouso. Cauda para baixo, asa direita para cima, parecia um condor magnífico e gracioso se preparando para pousar numa palha de vassoura.

Vinha baixo e devagar, e meus cabelos se eriçaram. Ia presenciar um desastre. Para aterrissar com um *Travel Air*, é preciso estar voando a pelo menos 100km/h. Com menos que isso, sendo um avião que estola aos 80, você vai acabar envolvido dentro de uma bola. Mas o que vi foi aquele biplano branco e dourado parar no ar. Bem, não quero dizer propriamente parar, mas não estava voando a mais de 50km/h — um avião que estola aos 80, pensem bem, para no ar, parece suspirar e desce direto, nas três rodas, no capim. Ele usou a metade, talvez três quartos do espaço que eu usaria para pousar com o *Fleet*.

Fiquei ali sentado na cabine, olhando, enquanto ele taxiava até chegar a meu lado e parar. Quando desliguei o motor, ainda olhando, estonteado, o que acontecia, ele disse:

— Bom campo que você encontrou! Bem perto da cidade, hein?

Os nossos primeiros fregueses, dois garotos numa moto Honda, já estavam entrando para ver o que se passava.

— Como assim "perto da cidade"? — gritei, por cima do barulho dos motores que ainda ressoava em meus ouvidos.

— Bem, fica a meio quarteirão daqui!

— Não, não é isso! COMO FOI AQUELE POUSO? No *Travel Air*? Como foi que você aterrissou aqui?

Ele piscou para mim.

— Mágica!

— Não, Don... estou falando sério! Vi como você pousou!

Ele percebeu que eu estava chocado e muito assustado.

— Richard, quer saber como se faz as chaves flutuarem no ar, como se cura todas as doenças, se transforma a água em vinho, se anda sobre as ondas e se pousa um *Travel Air* em 30 metros de capim? Quer saber a solução de todos esses milagres?

Senti-me como se ele acabasse de dirigir um raio laser para cima de mim.

— Quero saber como você pousou aqui...

— Escute! — disse ele, atravessando o abismo entre nós. — Este mundo? E tudo o que há nele? *Ilusões*, Richard! Tudo *ilusões*! *Entende isso*?

Não piscava nem sorria, como se de repente estivesse furioso comigo por eu não saber disso há muito tempo.

A moto parou junto à cauda do seu avião; os rapazes pareciam loucos para voar.

— É — foi só o que pude dizer. — Entendido quanto às ilusões.

Nesse momento, os moços já o estavam assediando para levá-los para um voo, e coube a mim a tarefa de encontrar logo o dono do pasto e pedir licença para usar sua propriedade.

O único meio de descrever as decolagens e os pousos que o *Travel Air* fez naquele dia é lhes dizer que parecia um *Travel Air* de mentira. Era como se o avião fosse, na verdade, um *Cub E-2*, ou um helicóptero fantasiado de *Travel Air*. Por algum motivo, era muito mais fácil, para mim, aceitar que uma chave de 9/16 flutuasse sem peso do que ficar calmo vendo aquele avião decolar com passageiros a bordo a 50km/h. Uma coisa é acreditar na levitação quando vemos o fenômeno, outra coisa é acreditar em milagres.

Fiquei pensando no que ele dissera com tanta convicção. Ilusões. Alguém já afirmara isso antes... quando eu era criança, aprendendo mágicas — os *mágicos* diziam aquilo! Eles falavam, cuidadosamente: "Vejam, isso não é milagre; não é mágica de verdade. O que há é um efeito, a ilusão da mágica." Depois tiravam um lustre de uma noz ou transformavam um elefante numa raquete de tênis.

Num arroubo de intuição, puxei o *Manual do Messias* do bolso, abrindo-o. Havia só duas frases na página.

Não existe
um problema que
não ofereça uma dádiva
para você.
Você procura os problemas
porque precisa das dádivas
por eles oferecidas.

Não sei bem por que, mas, ao ler aquilo, a minha confusão diminuiu. Reli o trecho até decorá-lo.

O nome da cidade era Troy, e o pasto ali prometia ser tão bom quanto fora o campo de feno em Ferris. Mas em Ferris eu sentira uma certa calma, e aqui havia no ar uma tensão que não estava me agradando.

Os voos, que para os nossos passageiros eram uma aventura única, para mim eram a rotina, nublada por aquela estranha inquietação. A minha aventura era o personagem com quem eu estava voando... o modo impossível como pilotava seu avião e as coisas estranhas que dissera para explicá-lo.

As pessoas de Troy não se impressionaram com o milagre do *Travel Air* mais do que eu me impressionaria se ouvisse tocar ao meio-dia um sino que não tocasse há 60 anos... Não sabiam ser impossível acontecer o que estavam presenciando.

"Obrigado pelo passeio!", diziam eles. E: "É só isso que vocês fazem para ganhar a vida... não trabalham em algum lugar?" E: "Por que foram escolher um lugarzinho pequenino como Troy?" E: "Jerry, a sua fazenda não é maior do que uma caixa de sapato!"

Tivemos uma tarde movimentada. Havia muita gente querendo voar e íamos ganhar muito dinheiro. Ainda assim, uma parte de mim começou a dizer "saia, saia, afaste-se deste lugar". Já tinha ignorado isso antes e sempre me arrependera.

Por volta das três horas desliguei a aeronave para poupar gasolina, fiz o percurso de ida e volta do posto Skelly com duas latas de cinco galões de combustível, e então reparei que não tinha visto o *Travel Air* ser reabastecido uma única vez. Shimoda não punha combustível no seu avião desde antes de chegar a Ferris, e eu vira aquela aeronave voar por mais de sete horas, quase oito, sem parar. E embora soubesse que ele era um homem bom e não me fosse fazer mal, fiquei outra vez assustado. Economizando-se bastante, puxando o manete para revoluções mínimas e usando uma mistura perfeitamente pobre em voos de cruzeiro, o *Travel Air* funciona por cinco horas, no máximo. Mas não oito horas, com decolagens e pousos.

Ele continuava a voar firme, voos e mais voos, enquanto eu reabastecia meu tanque central e colocava um litro de óleo no motor. Havia uma fila de gente aguardando e parecia que ele não os queria desapontar.

Consegui me aproximar dele quando estava ajudando um casal a entrar na cabine da frente do avião. Procurei parecer o mais calmo e displicente possível.

— Don, como vai de combustível? Precisa de mais? — Fiquei parado junto à ponta da asa, com uma lata vazia de cinco galões na mão.

Ele me olhou intensamente nos olhos e franziu a testa, intrigado, como se eu tivesse perguntado se precisava de mais ar para respirar.

— Não — disse ele, e eu me senti como um aluno de primeiro ano primário, nos fundos da sala de aula. — Não, Richard, não preciso de combustível.

Aquilo me aborreceu. Conheço alguma coisa a respeito de motores de avião e combustível.

— Bem, então — disse-lhe, zangado —, que tal um pouco de urânio?

Ele riu e me desarmou logo.

— Não, obrigado. Eu o enchi no ano passado.

Em seguida, estava na sua cabine e se foi com seus passageiros, naquela decolagem sobrenatural, em câmera lenta.

Primeiro desejei que as pessoas fossem embora; depois, que saíssemos dali depressa, com ou sem gente; e, depois, que eu tivesse o juízo de sair dali sozinho, imediatamente. Só queria decolar e encontrar um campo grande e vazio, longe de qualquer cidade, e ficar sentado, pensando e escrevendo em meu diário sobre o que estava acontecendo, tentando dar um sentido a tudo aquilo.

Fiquei do lado de fora do *Fleet*, descansando, até que Shimoda tornou a pousar. Fui até a sua cabine, sentindo a força do vento provocado pelo seu forte motor.

— Acho que já voei bastante, Don. Vou andando, pousar fora das cidades e trabalhar um pouco menos, por algum tempo. Foi divertido voar com você. Nós nos veremos por aí, um dia desses, não é?

Ele nem piscou.

— Mais um voo e estarei com você. Esse camarada está esperando.

— Está bem.

O camarada esperava numa velha cadeira de rodas que tinha sido empurrada até o campo. Parecia estar amassado e torcido no assento, como que por alguma força de gravidade exagerada, mas queria voar. Havia 40 ou 50 pessoas ali, umas de carro, outras a pé, querendo ver, curiosas, como Don levaria o homem da cadeira para o avião.

Ele nem pensou no caso.

— Quer voar?

O homem deu um sorriso torto e meneou a cabeça, meio de lado.

— Então, vamos, vamos voar! — disse Don calmamente, como se falasse com um jogador que estivesse no banco há muito tempo e tivesse chegado a vez dele de entrar no jogo.

Se houve alguma coisa estranha naquele momento, em retrospecto, foi a intensidade com que ele falou. Foi com naturalidade, sim, mas foi também uma ordem no sentido do homem se levantar e entrar no avião, sem pretextos. Naquele momento, teve-se a impressão de que o homem estivera representando o papel de aleijado e inválido até então, e sua última cena terminara. A gravidade liberou-o como se nunca tivesse existido; ele saltou da cadeira, num passo acelerado, assombrado consigo mesmo, em direção ao *Travel Air*.

Eu estava perto e o ouvi dizer:

— O que você fez? — perguntou ele. — *O que você me fez?*

— Vai voar ou não? — disse Don. — O preço é três dólares. Pague antes da decolagem, por favor.

— Vou voar! — disse ele.

Shimoda não o ajudou a subir para a cabine da frente, como geralmente fazia com seus passageiros.

As pessoas saltaram dos carros. Houve um murmúrio rápido de parte dos espectadores e depois um silêncio espantado. Aquele homem não andava desde que seu caminhão caíra de uma ponte, onze anos atrás.

Como um garoto com asas feitas de lençóis, ele pulou para dentro da cabine e deslizou para o assento, agitando muito os braços, como se acabassem de lhe dar braços com que brincar.

Antes que alguém pudesse falar, Don apertou o manete, e o *Travel Air* se elevou no ar, dando voltas fechadas em torno das árvores e subindo furiosamente.

O mesmo momento pode ser feliz e apavorante?

Seguiram-se muitos momentos assim. Ficava o assombro diante do que seria a cura milagrosa de um homem que parecia merecê-la e, ao mesmo tempo, de algo nada bom que aconteceria quando aqueles dois tornassem a descer. O pessoal, esperando, formava um nó apertado, uma turba, o que não era nada bom. Os minutos se passavam, os olhos estavam fixos naquele biplanozinho voando tão displicentemente ao sol, e algo de violento estava para acontecer.

O *Travel Air* descreveu alguns oitos íngremes e preguiçosos, uma espiral fechada e depois estava flutuando por cima da cerca, como um disco voador lento e barulhento, prestes a pousar. Se ele tivesse juízo, largaria o passageiro na outra extremidade do campo, decolaria rapidamente e desapareceria. Estava chegando mais gente; mais uma cadeira de rodas, empurrada por uma senhora correndo.

Ele taxiou, girou o avião para ficar com a hélice afastada do povo e desligou o motor. O pessoal correu para a cabine e por um momento achei que iam arrancar a tela da fuselagem, para alcançar os dois.

Seria covardia? Não sei. Caminhei até meu avião, bombeei o manete e o afogador, e puxei a hélice para dar partida. Entrei na cabine, virei o *Fleet* de frente para o vento e decolei. A última coisa que vi foi que Donald Shimoda estava sentado na borda de sua cabine, rodeado pelo povo.

Virei para leste e depois sudeste; após algum tempo, no primeiro campo grande que encontrei, com árvores para me dar sombra e um riacho onde beber, pousei para passar a noite. Ficava bem longe de qualquer cidade.

6

Até hoje, não sei dizer o que me deu. Foi uma sensação de destino que me expulsou para longe do sujeito estranho e curioso que era Donald Shimoda. Se tiver de confraternizar com o destino, nem mesmo o próprio Messias tem o poder de me fazer ficar.

Estava sossegado no campo, uma campina enorme e quieta, aberta para o céu... O único ruído era o de um riachinho que eu precisava me esforçar para ouvir. Só, mais uma vez. A gente se habitua a ficar sozinho, mas, se interromper o hábito, nem que seja por um dia, tem de se acostumar de novo.

— Ótimo, então foi divertido, durante algum tempo — disse eu em voz alta para a campina. — Foi divertido e talvez eu tivesse muito o que aprender com o camarada. Mas já estou farto das multidões, mesmo quando estão felizes... se ficam com medo, ou querem crucificar alguém, ou adorá-lo. Sinto muito, mas é demais!

Quando disse aquilo, parei de repente. Aquelas palavras podiam ter sido ditas por Shimoda em pessoa. Por que ficara ali? Tive o bom senso de partir — e eu não era nenhum Messias.

Ilusões. O que ele queria dizer com "ilusões"? Aquilo era mais importante do que tudo o que dissera ou fizera — feroz, é o que ele estava, ao dizer: *"É tudo ilusão!"*, como se pudesse martelar a ideia em minha cabeça à força. Era mesmo um problema, e eu estava precisado daquela dádiva, mas continuava sem saber o que significava.

Depois de algum tempo fiz uma fogueira, cozinhei um *goulash* de pedacinhos de carne de soja, macarrão seco e duas salsichas de dois dias antes, que deviam ficar boas depois de fervidas. O saco de ferramentas estava ao lado da caixa de mantimentos e, sem motivo especial, tirei a chave 9/16, limpei-a e mexi o *goulash* com ela.

Estava sozinho, notem bem, não havia ninguém me espiando, de modo que, de farra, tentei fazê-la flutuar no ar. Se eu a jogava bem para cima e piscava os olhos quando começava a descer, tinha, por meio segundo, a sensação de que estava flutuando. Mas logo ela caía na grama ou no meu joelho com um baque e o efeito se anulava. Mas aquela mesma chave... Como ele fez aquilo?

Se isso é só ilusão, Sr. Shimoda, então o que é real? E se esta vida é uma ilusão, então por que a vivemos? Por fim, joguei a chave mais algumas vezes e desisti. E de repente fiquei feliz de estar onde estava e saber o que sabia, embora não fosse a solução de toda a vida, ou mesmo de algumas ilusões.

Quando estou sozinho, às vezes canto. *"Ah, eu e a velha TINTA!..."*, cantei, acariciando a asa do *Fleet*, com muito amor pela coisa (lembrem-se, não havia ninguém ouvindo). *"Vamos vagar pelo céu... Saltando pelos campos até um de nós dar o pre-*

go..." Vou compondo a música e a letra ao cantar. *"E não vou ser eu que vou dar o prego, Tinta... A não ser que você quebre uma LONGARINA... e aí eu a prendo com um BARBANTE... e continuamos a voar... CONTINUAMOS A VOAR..."*

Os versos não têm fim quando me embalo e me sinto feliz, pois as rimas não são assim tão essenciais. Deixara de lado os problemas do Messias; não havia como saber quem ele era ou o que queria dizer, de modo que parei de pensar e creio que isso me deixou feliz.

Lá por volta das dez horas o fogo apagou — e minha cantoria também.

— Onde quer que você esteja, Donald Shimoda — falei, desenrolando a manta embaixo da asa —, lhe desejo bons voos e poucas multidões. Se é isso que você quer. Não, retiro o que disse. Desejo, meu caro e solitário Messias, que você encontre tudo o que deseja encontrar.

O *Manual* caiu de meu bolso quando tirei a camisa, e li no lugar em que se abriu.

O laço
que une a sua família verdadeira
não é de sangue, mas
de respeito e alegria pela
vida um do outro.
Raramente os integrantes
de uma família se criam
sob o mesmo
teto.

Não via de que modo aquilo poderia se aplicar a mim, e obriguei--me a pensar que nunca deveria permitir que um livro substituísse o meu próprio julgamento. Acomodei-me sob a manta e depois apaguei, como uma lâmpada que é desligada, quente e sem sonhos, debaixo do céu e de vários milhares de estrelas que eram ilusões, talvez, mas ilusões muito bonitas, com certeza.

Quando voltei a mim, o sol estava nascendo, a luz rosada e as sombras douradas. Acordei não por causa da luz, mas porque alguma coisa estava tocando a minha cabeça, bem de leve. Pensei que fosse uma haste de capim, flutuando por ali. Depois achei que era um mosquito, bati com força e quase quebrei a mão... Uma chave de boca de 9/16 é um pedaço duro de ferro para se bater à toda, e acordei depressa. A chave bateu na dobradiça do aileron, cravou-se por um momento no capim e depois flutuou com imponência, tornando a pairar no ar. Então, enquanto eu olhava, já completamente desperto, ela foi caindo aos poucos ao chão. Quando decidi pegá-la, era a mesma chave que conhecia e amava, com o mesmo peso e a mesma vontade de apertar todos aqueles pinos e porcas.

— Bem, que diabo!

Nunca digo "diabo" nem coisas assim. Mas estava realmente intrigado e não havia mais o que dizer. O que se passava com a minha chave? Donald Shimoda estava a pelo menos 90 quilômetros acima de algum horizonte. Peguei, examinei e equilibrei a chave, sentindo-me como um macaco pré-histórico que não consegue compreender uma roda girando diante de seus próprios olhos. Tinha de haver algum motivo simples...

Desisti, afinal, aborrecido, guardei-a no saco de ferramentas e acendi o fogo para o meu pão de panela. Não estava com pressa para ir a lugar algum. Podia bem passar o dia todo ali, se quisesse.

O pão crescera bastante na panela e estava quase no ponto para ser virado quando ouvi um barulho à minha esquerda.

Não havia possibilidade de o barulho ser do avião de Shimoda, nem de que alguém pudesse ter me descoberto naquele campo específico, entre milhões de campos do Meio-Oeste, mas eu sabia que era ele e comecei a assobiar... olhando para o pão e o céu, procurando pensar em alguma coisa muito calma para dizer quando ele aterrissasse.

Era o *Travel Air* mesmo; voou baixo por cima do *Fleet*, subiu direto numa volta de exibição, deslizou pelo ar e pousou a 90km/h, a velocidade em que um avião deste tipo deve pousar. Parou ao lado da minha aeronave e desligou o motor. Eu não disse nada. Acenei, mas não disse nada. Parei de assobiar.

Ele saltou da cabine e foi até a fogueira.

— Olá, Richard.

— Você está atrasado — falei. — Quase queimei o pão de panela.

— Desculpe.

Passei-lhe uma caneca com água do riacho e um prato de folha de estanho com meio pão e um pedaço de margarina.

— Como foi? — perguntei.

— Tranquilo — disse ele, com um meio sorriso breve. — Escapei com vida.

— Tinha minhas dúvidas quanto a isso.

Comeu o pão calado.

— Sabe? — disse ele por fim, olhando para a comida. — Isso é mesmo uma coisa horrível.

— Ninguém mandou você comer o meu pão de panela — falei, zangado. — Por que será que ninguém gosta do meu pão de panela? NINGUÉM GOSTA DO MEU PÃO DE PANELA! Por que, ó Mestre Elevado?

— Bem, e agora estou falando como Deus — disse ele, sorrindo —, eu diria que você acredita que ele seja bom e que por isso lhe pareça bom. Experimente-o sem acreditar profundamente no que você acredita e parecerá uma espécie de... incêndio... depois de uma inundação... num moinho, não acha? A grama você pôs de propósito, imagino.

— Desculpe. Caiu da minha manga, não sei como. Mas não acha que o pão básico em si... não o capim nem o queimadinho, ali... o pão de panela básico, não acha...?

— Horrível — disse ele, devolvendo-me tudo, menos uma mordida do que eu lhe dera. — Prefiro passar fome. Ainda tem aqueles pêssegos?

— Na caixa.

Como ele me encontrou? Uma envergadura de oito metros em 16 mil quilômetros de prados de lavoura não é um alvo fácil, especialmente quando se está contra o sol. Mas jurei que não perguntaria. Se quisesse me contar, o faria.

— Como foi que você me descobriu? — perguntei. — Eu podia ter pousado em qualquer lugar.

Ele abriu a lata de pêssegos e estava comendo as frutas com uma faca... o que não é muito fácil.

— Os semelhantes se atraem — murmurou ele, errando uma fatia de pêssego.

— Ah, é?

— Uma lei cósmica.

— Ah.

Acabei o meu pão e depois areei a panela com areia do riacho. Esse pão é bom mesmo.

— Pode explicar? Como é que sou semelhante ao seu estimado ser? Ou será que "semelhante" significa que os aviões são parecidos?

— Nós, os fazedores de milagres, temos de nos manter unidos — disse ele.

A frase era ao mesmo tempo bondosa e apavorante, do jeito que foi dita.

— Ah... Don? Quanto a este seu último comentário: será que pode me dizer o que significa *nós*, os fazedores de milagres?

— Pela posição da chave de 9/16 na sacola, eu diria que você andou realizando o truque de levitação com a chave de boca, hoje de manhã. Diga se estou enganado.

— Não estava fazendo coisa alguma! Acordei... o negócio me acordou, sozinho!

— Ah. Sozinho.

Estava rindo de mim.

— SOZINHO, SIM! — gritei.

— A sua compreensão de sua capacidade de fazer milagres, Richard, é tão completa quanto a sua compreensão de fazer pães.

Não lhe respondi; escorreguei pelas cobertas e fiquei o mais quieto possível. Se tivesse alguma coisa a dizer, podia fazê-lo quando bem entendesse.

— Alguns de nós começam a aprender essas coisas pelo subconsciente. A nossa mente desperta não as aceita, de modo que fazemos os nossos milagres enquanto dormimos.

Olhou, no céu, as primeiras nuvenzinhas do dia.

— Não seja impaciente, Richard. Estamos todos sempre aprendendo mais. Você agora vai aprender bem depressa, e será um mestre espiritual sábio e velho sem sentir.

— O que quer dizer, sem sentir? Não quero sentir nada! Não quero saber de nada!

— Você não quer saber de nada?

— Bem, quero saber por que o mundo existe, o que ele é, por que vivo aqui e para onde vou depois... Quero saber isso. E voar sem avião, quando eu desejar.

— Desculpe.

— Desculpe o quê?

— Não é assim que funciona. Se você aprende o que é este mundo e como funciona, automaticamente começa a fazer milagres, ou o que chamarão de milagres. Mas, naturalmente, nada é milagroso. Se aprender o que o mágico sabe, aquilo deixa de ser mágica.

Afastou os olhos do céu.

— Você é como todo mundo. Já conhece isso. Apenas não tem consciência ainda de que já conhece.

— Não me lembro... — repliquei — não me lembro de que tenha me perguntado se quero aprender isso, seja o que for, que lhe trouxe multidões e tristezas a vida toda. Parece que me esqueci disso.

Tão logo falei, senti que ele ia dizer que mais tarde eu me lembraria, e estaria certo.

Ele se esticou no capim, tendo como travesseiro o resto da farinha no saco.

— Olhe, não se preocupe com as multidões. Elas não o podem tocar, a não ser que você queira. Você é mágico, lembre-se: PUF!... Fica invisível e passa através das portas.

— A multidão o pegou em Troy, não foi?

— Eu disse que não queria isso? Aquilo eu permiti. Gostei. Em todos nós há um pouco de canastrão, do contrário nunca conseguiríamos ser Mestres.

— Mas você não desistiu? Eu não li...?

— Do jeito que as coisas iam, eu estava me tornando o Único Messias de Tempo Integral, e esse trabalho larguei de vez. Mas não posso desaprender uma coisa que passei várias vidas aprendendo, posso?

Fechei os olhos e mastiguei uma haste de capim.

— Olhe, Donald, o que você está querendo me dizer? Por que não fala logo o que está acontecendo?

Fez-se um silêncio comprido e então ele disse:

— Talvez você é que deva me contar. Conte-me o que estou querendo dizer, e eu o corrijo se estiver errado.

Pensei naquilo um pouco e resolvi surpreendê-lo.

— Tudo bem, vou lhe contar.

Fiz uma pausa, para ver quanto tempo ele poderia esperar, se o que eu dissesse não saísse muito fluente. O sol agora estava bem alto para nos aquecer, e ao longe, num campo escondido, um fazendeiro trabalhava com um trator diesel, cultivando o milho no domingo.

— Sem problema, vou lhe dizer. Antes de tudo, não foi por coincidência que você pousou no campo em Ferris, certo?

Ele estava calado como o capim crescendo.

— E, depois, temos uma espécie de acordo místico, que aparentemente eu esqueci e você não.

Só um vento suave soprando, e o ruído distante do trator indo e vindo com ele.

Parte de mim estava escutando e não achava que o que eu dizia fosse ficção. Estava inventando uma história verdadeira.

— Vou dizer que nos encontramos há uns três ou quatro mil anos, mais ou menos. Gostamos do mesmo tipo de aventuras, provavelmente odiamos o mesmo tipo de destruidores, aprendemos nos divertindo mais ou menos igualmente e com a mesma rapidez. Você tem uma memória melhor. O nosso reencontro é o que você quer dizer com a expressão "os semelhantes se atraem".

Peguei uma outra haste de capim.

— Que tal, até agora?

— Já estava achando que ia ser uma conversa longa — disse ele. — E vai ser, mas acho que há uma leve possibilidade de que dessa vez você consiga. Continue a falar.

— Depois, não é preciso continuar a falar, pois você já sabe que coisas uma pessoa conhece. Mas, se não dissesse isso, você não saberia o que penso que sei, e sem isso não posso aprender nada do que quero aprender. — Larguei a minha haste de capim. — O que é que você ganha com isso, Don? Para que perder tempo com gente como eu? Quando uma pessoa está evoluída como você, tem todos esses poderes milagrosos como subprodutos. Você não precisa de mim, não precisa de nada deste mundo.

Virei a cabeça e olhei-o. Ele estava de olhos fechados.

— Como o combustível do *Travel Air*? — perguntou ele.

— Certo — disse eu. — Portanto, no mundo só resta o tédio... Não existem aventuras quando você sabe que não pode ser perturbado por nada neste mundo. O seu único problema é que você não tem problemas!

Isso, pensei, era uma fala e tanto.

— Você se enganou, aí — disse ele. — Diga-me por que larguei o meu trabalho... Sabe por que larguei o trabalho de Messias?

— As multidões, você disse. Todo mundo querendo que você fizesse os milagres por eles.

— Olha, o horror às multidões é a sua cruz, não a minha. Não são as multidões que me cansam, mas sim o tipo de multidão que não liga a mínima para as coisas que vim dizer. Você pode andar de Nova York a Londres sobre o oceano, pode passar a vida toda fazendo aparecer moedas de ouro, e ainda assim não conseguir atrair a atenção deles, sabe disso?

Naquele momento, ele pareceu mais solitário do que jamais vira um homem vivo parecer. Não precisava de alimentos, de abrigo, de dinheiro, ou de fama. Estava morrendo devido à sua necessidade de dizer o que sabia, e ninguém se interessava em saber.

Franzi o rosto para não chorar.

— Bem, a culpa é sua — falei. — Se a sua felicidade depende do que fazem os outros, acho que tem um problema, sim.

Ele levantou a cabeça de repente e seus olhos faiscaram como se eu lhe tivesse batido de repente com a chave. Pensei que não seria prudente fazer com que aquele sujeito se zangasse comigo. Uma pessoa queima, logo que é atingida por um raio.

Depois ele deu aquele sorriso de meio segundo.

— Sabe de uma coisa, Richard? — disse, devagar. — Você... tem... *razão*!

Ficou calado de novo, quase num transe, por causa do que eu tinha dito. Sem reparar, continuei falando durante horas, todas aquelas ideias passando por minha cabeça como cometas matutinos e meteoros diurnos. Ele ficou deitado na grama, quieto, sem se mexer, sem dar uma palavra. Ao meio-dia eu terminara a minha versão do Universo e de todas as coisas que nele existem.

— ...E parece que ainda nem comecei, Don, há tanta coisa a dizer. Como é que sei de tudo isso? Como pode ser?

Ele não respondeu.

— Se você espera que eu responda à minha pergunta, confesso que não sei. Como posso dizer todas essas coisas agora, quando antes nem sequer havia tentado? O que me aconteceu?

Nada de resposta.

— Don? Pode falar agora, por favor.

Não deu uma palavra. Eu lhe explicara o panorama da vida, e o meu Messias, como se tivesse ouvido tudo o que precisasse ouvir naquela fala casual sobre sua felicidade, adormecera profundamente.

7

Manhã de quarta-feira, seis horas, não estou acordado e — BUUM! — aquele barulho tremendo, repentino e violento como uma sinfonia altamente explosiva; coros de mil vozes instantâneos, palavras em latim, violinos, tímpanos e trompas de arrebentar os vidros. A terra estremeceu, o *Fleet* balançou em suas rodas e saí de sob a asa como um gato que levou um choque de 400 volts, o pelo eriçado como pontos de exclamação.

O céu era um nascer do sol ainda morno, as nuvens vivas em tinta louca, mas tudo confuso no crescendo de dinamite.

— PARE! PARE! PARE COM A MÚSICA, *PARE*.

Shimoda berrou tão alto e furioso que consegui escutá-lo acima da barulhada; o som parou imediatamente, os ecos rolando para longe, mais e mais longe. Depois veio uma melodia suave e sagrada, tranquila como a brisa, Beethoven num sonho.

Ele não se impressionou.

— EU DISSE: PARE COM ISSO!

A música parou.

— Ufa! — disse ele.

Fiquei olhando para ele.

— Há uma hora para tudo, certo? — disse ele.

— Bem, uma hora, bem...

— Um pouco de música celestial é muito bom, na intimidade de seu espírito, e talvez em ocasiões especiais, mas logo de manhã cedinho, e assim tão alto? O que está fazendo?

— O que *eu* estou fazendo? Don, eu estava no mais profundo dos sonos... O que quer dizer: o que eu estou fazendo?

Ele sacudiu a cabeça, deu de ombros, desanimado, fungou e voltou para o seu saco de dormir debaixo da asa.

O *Manual* estava no capim, onde caíra. Virei-o com cuidado e li.

Valorize
suas limitações
e, por certo,
não se livrará
delas.

Havia muita coisa que eu não entendia, em matéria de Messias.

Terminamos o dia em Hammond, Wisconsin, transportando alguns passageiros de segunda-feira. Depois fomos até a cidade a pé para jantar e voltamos.

— Don, concordo que esta vida pode ser interessante, enjoada ou o que quer que desejamos que seja. Mas mesmo em meus momentos mais brilhantes jamais consegui descobrir por que estamos aqui, para começar. Fale-me algo sobre isso.

Passamos pela loja de ferragens (fechada) e pelo cinema (aberto: *Butch Cassidy*) e, em vez de responder, ele parou e virou na calçada.

— Você tem algum dinheiro, não?

— Muito. Mas por quê?

— Vamos ver o filme — disse ele. — Você paga?

— Não sei, Don. Vá você. Vou voltar para os aviões. Não gosto de deixá-los sozinhos por tanto tempo.

O que havia de tão importante, de repente, num filme?

— Os aviões estão bem. Vamos ao cinema.

— Já começou a sessão.

— Então entramos atrasados.

Ele já estava comprando sua entrada. Acompanhei-o à sala de projeção e nos sentamos na última fila. Devia haver umas 50 pessoas em volta de nós, no escuro.

Depois de algum tempo, esqueci-me do motivo pelo qual estávamos ali e me interessei pelo filme, que sempre considerei um clássico, de qualquer forma; aquela era a terceira vez que assistia a ele. O tempo que passamos no cinema se espiralou e se espichou, como acontece com um bom filme, e, durante algum tempo, fiquei observando os detalhes técnicos... como cada cena era projetada e adaptada à seguinte, por que uma cena naquele momento e não mais tarde. Tentei olhar desse modo, mas me envolvi na história e esqueci.

Na parte em que Butch e Sundance são cercados por todo o exército boliviano, quase no fim, Shimoda tocou no meu ombro. Inclinei-me para ele, olhando o filme, querendo que deixasse para depois o que tinha para dizer.

— Richard?

— Sim.

— Por que você está aqui?

— É um bom filme, Shimoda. Shhh.

Butch e Sundance, cobertos de sangue, estavam dizendo por que deviam ir para a Austrália.

— Por que é bom? — perguntou ele.

— É divertido. Shhh. Depois eu conto.

— Pare com isso. Acorde. É tudo ilusão.

Fiquei irritado.

— Donald, só mais alguns minutos e depois podemos conversar quanto você quiser. Mas me deixe ver o filme, OK?

Ele sussurrou forte, dramaticamente:

— Richard, *por que você está aqui*?

— Escute, estou aqui porque você pediu para virmos aqui!

Eu me virei e tentei assistir ao final.

— Você não precisava vir, podia ter dito: não, obrigado.

— EU GOSTO DO FILME... — Um homem na minha frente virou-se para me olhar por um instante. — Gosto do filme, Don; há alguma coisa errada nisso?

— Nada, em absoluto — falou ele.

E não disse mais uma palavra até o filme acabar e passarmos pelo lote de tratores usados, nos dirigindo para o escuro, para o campo e os aviões. Estava ameaçando chuva.

Pensei sobre o seu estranho comportamento no cinema.

— Você faz tudo por algum motivo, Don?

— Às vezes.

— Por que o filme? Por que de repente você quis ver este filme?

— Você fez uma pergunta.

— Sim. E você tem uma resposta?

— É essa a minha resposta. Fomos ao cinema porque você fez uma pergunta. O filme foi a resposta à sua pergunta.

Estava rindo de mim, eu sabia.

— Qual foi a minha pergunta?

Seguiu-se um silêncio prolongado e magoado.

— A sua pergunta, Richard, foi por que mesmo em seus momentos mais brilhantes você nunca conseguiu descobrir por que estamos aqui.

Eu me lembrei.

— E o filme foi a minha resposta.

— Foi.

— Ah.

— Você não compreende — disse ele.

— Não.

— O filme foi bom — continuou —, mas o melhor filme do mundo ainda assim é uma ilusão, não é mesmo? As fotos nem sequer estão se movendo: apenas parecem estar se movendo. Luzes variáveis que parecem se mover por uma tela plana montada no escuro?

— Bem, sim.

Eu estava começando a compreender.

— As outras pessoas, quaisquer pessoas, em qualquer lugar, que vão assistir a qualquer filme, por que estão lá, quando é tudo ilusão?

— Bem, é um divertimento — disse eu.

— Divertimento. Certo. Um.

— Pode ser educativo.

— Bom. Sempre é isso. Aprender. Dois.

— Fantasia, fuga.

— Isso também é divertimento. Um.

— Motivos técnicos. Ver como se faz um filme.

— Aprender. Dois.

— Fuga do tédio...

— Fuga. Você já disse isso.

— Social. Para estar com os amigos — falei.

— Motivo para ir, mas não para ver o filme. Isso é divertimento, de qualquer forma. Um.

Tudo o que eu dizia se adaptava aos dois dedos dele; as pessoas veem os filmes por divertimento, para aprender ou ambos.

— E um filme é como uma vida, Don, certo?

— Sim.

— Então, por que alguém vai escolher uma vida má, um filme de terror?

— Não somente vão assistir a um filme de terror para se divertir, como sabiam que ia ser um filme de terror quando entraram — disse ele.

— Mas por que...?

— Você gosta de filmes de terror?

— Não.

— Nunca os vê?

— Não.

— Mas não há gente que gasta muito tempo e dinheiro para ver o terror, ou problemas novelescos que para outras pessoas são monótonos e chatos...?

Ele deixou que eu respondesse à pergunta.

— Sim.

— Você não é obrigado a ver os filmes deles, e eles não são obrigados a ver os seus. É o que se chama de "liberdade".

— Mas por que é que as pessoas iriam querer ficar apavoradas? Ou chateadas?

— Porque acham que o merecem por apavorar outras pessoas, ou gostam da emoção do pavor, ou então acham que os filmes devem ser chatos. Você consegue acreditar que muitas pessoas, por motivos justos para elas, gostam de crer que não há esperança para elas em seus próprios filmes? Não, não consegue.

— Não consigo, não — disse eu.

— Até você compreender isso, vai ficar imaginando por que algumas pessoas são infelizes. Elas são infelizes porque resolveram ser infelizes, e, Richard, isso está certo!

— Hummm.

— Somos criaturas que brincam, que se divertem, somos as lontras do Universo. Não podemos morrer, não nos podemos ferir mais que se podem ferir as ilusões na tela. Mas podemos acreditar que estamos feridos, com todos os detalhes agonizantes que quisermos. Podemos acreditar que somos vítimas, mortas e matando, envolvidas pela boa e pela má-sorte.

— Muitas vidas? — perguntei.

— Quantos filmes você já viu?

— Ah.

— Filmes sobre viver neste planeta, ou em outros planetas; qualquer coisa que tiver espaço e tempo é filme e ilusão — disse ele. — Mas por algum tempo podemos aprender muita coisa e nos divertir muito com nossas ilusões, não é?

— Até onde você leva esse negócio de filme, Don?

— Até onde você quer? Hoje você viu o filme, em parte, porque eu queria ver. Muitos escolhem determinadas vidas porque gostam de fazer coisas juntos. Os atores do filme de hoje já representaram juntos em outros filmes... antes ou depois, depende de qual filme você viu primeiro, e você os pode ver ao mesmo tempo em telas diferentes. Nós compramos entradas para esses filmes, pagando o ingresso, concordando em acreditar naquelas realidades do espaço e do tempo... Nenhuma das duas é a verdade, mas quem não quiser pagar esse preço não pode aparecer neste planeta, nem em qualquer sistema de espaço-tempo.

— Existem pessoas que não têm vidas no espaço-tempo?

— Existem pessoas que nunca vão ao cinema?

— Sei. Aprendem de modos diferentes?

— Certo — disse ele, satisfeito comigo. — O espaço-tempo é uma escola bastante primitiva. Mas muita gente fica com a ilusão, mesmo que seja monótona, e não quer que as luzes se acendam muito cedo.

— Quem escreve esses filmes, Don?

— Não é estranho ver o quanto sabemos se nos fizermos as perguntas, em vez de perguntar aos outros? Quem escreve esses filmes, Richard?

— Somos nós — falei.

— Quem os representa?

— Nós.

— Quem é o cinegrafista, o projetor, o gerente do cinema, o bilheteiro, o distribuidor, e quem assiste ao trabalho de todos? Quem tem a liberdade de sair no meio, a qualquer momento, mudar o enredo, quem é livre para ver o mesmo filme várias vezes?

— Deixe-me adivinhar — falei. — Qualquer um que quiser?

— Isso basta como liberdade para você? — perguntou ele.

— E é por isso que os filmes são tão populares? Instintivamente sabemos que são um paralelo de nossas próprias vidas?

— Talvez sim... talvez não. Isso não importa muito, certo? O que é projetor?

— A mente — falei. — Não. A imaginação. É a nossa imaginação, diga você o que quiser.

— O que é o filme? — perguntou.

— Aí você me pegou.

— Tudo o que permitimos que entre em nossa imaginação?

— Talvez, Don.

— Você pode segurar nas mãos um rolo de filme — disse ele — que esteja completo; princípio, meio e fim estão todos ali, naquele mesmo segundo, milionésimo de segundo. O filme existe além do tempo que ele registra, e se você souber qual é o filme, sabe de antemão o que vai acontecer, em linhas gerais: haverá batalhas e agitação, vencedores e perdedores, romance e desastre; você sabe que tudo isso estará ali. Mas a fim de ser envolvido e empolgado por aquilo, a fim de apreciá-lo ao máximo, você tem de colocá-lo num projetor e deixar que passe pela lente de minuto em minuto... Qualquer ilusão exige espaço e tempo para ser experimentada. Portanto, você gasta o seu dinheiro, compra a entrada, se acomoda, se esquece do que está se passando fora do cinema e o filme começa para você.

— E ninguém se machuca de verdade? O sangue é só molho de tomate?

— Não. É sangue mesmo — respondeu. — Mas bem que poderia ser molho de tomate, pelo efeito que tem em nossa vida real...

— E a realidade?

— A realidade é divinamente indiferente, Richard. Uma mãe não se importa com o papel que o filho representa em suas brincadeiras; um dia o vilão, no outro, mocinho. O Ser nada sabe a respeito de nossas ilusões e brincadeiras. Só conhece a *Si* e a nós, à sua semelhança, perfeitos e acabados.

— Não sei bem se quero ser perfeito e acabado. Deve ser um tédio...

— Olhe para o céu — disse ele.

Foi uma mudança de assunto tão rápida que olhei para o céu. Havia uns cirros fragmentados, bem no alto, os primeiros reflexos da lua prateando as bordas.

— Céu bonito — comentei.

— É um céu perfeito?

— Bem, é sempre um céu perfeito, Don.

— Você quer dizer que, embora mude a todo instante, o céu é sempre um céu perfeito?

— Puxa, como sou esperto. Sim!

— E o mar é sempre um mar perfeito, e está sempre mudando também — disse ele. — Se a perfeição for a estagnação, então o céu é um pântano! E o Ser não é propriamente um fruto do pântano.

— Perfeito, e mudando o tempo todo. Sim, aceito isso.

— Você já aceitou há muito tempo, se insiste no tempo.

Virei-me para ele, enquanto caminhávamos.

— Você não se entedia, Don, de ficar sempre apenas nesta dimensão?

— Ah. Estou ficando apenas nesta dimensão? — perguntou. — E você?

— Por que é que tudo o que eu digo é errado?

— Tudo o que você diz é errado?

— Acho que estou no negócio errado.

— Você acha que talvez o negócio imobiliário...? — perguntou ele.

— Imobiliário ou seguros.

— Há futuro no imobiliário, se é isso que você quer.

— OK. Desculpe — disse eu. — Não quero um futuro. Nem um passado. Prefiro me tornar um bom Mestre do Mundo da Ilusão. Está parecendo que será dentro de mais uma semana?

— Bem, Richard, espero que não demore *tanto* assim!

Olhei-o com cuidado, mas ele não estava sorrindo.

9

Os dias fundiam-se uns nos outros. Voávamos como sempre, mas parei de contar o verão pelos nomes das cidades ou pelo dinheiro que ganhávamos com os passageiros. Comecei a contá-lo pelas coisas que aprendi, as conversas que tínhamos depois dos voos, e os milagres que aconteciam de vez em quando, até o dia em que afinal percebi que não são milagres realmente.

Imagine
o Universo belo,
justo e
perfeito,

disse-me o *Manual* um dia.

Então tenha certeza de uma coisa:
o
Ser o imaginou
bastante melhor
do que
você.

A tarde estava tranquila... um passageiro de vez em quando. Nos intervalos, eu treinava o método mental de fazer as nuvens desaparecerem. Já fui instrutor de voo e sei que os alunos sempre dificultam as coisas fáceis; sei disso tudo, e no entanto lá estava eu de novo como aluno, de cara amarrada para os meus alvos de cúmulos. Uma vez na vida, precisava mais de ensinamentos do que de prática. Shimoda estava estirado debaixo da minha asa, fingindo que dormia. Chutei-lhe o braço, de leve, e ele abriu os olhos.

— Não consigo — falei.

— Consegue, sim — disse, e tornou a fechar os olhos.

— Don, já tentei! Quando penso que alguma coisa está acontecendo, a nuvem volta e começa a inchar mais que nunca.

Ele deu um suspiro e se sentou.

— Escolha uma nuvem. Uma fácil, por favor.

Escolhi a nuvem maior e pior do céu, de mil metros de altura, arrebentando de fumaça branca dos infernos.

— Aquela por cima do silo, lá longe — apontei. — Aquela que está ficando preta, agora.

Ele me olhou calado.

— Por que você me odeia?

— É porque gosto de você, Don, que peço essas coisas. — Sorri. — Você precisa de um desafio. Se prefere que eu escolha alguma coisa menor...

Ele suspirou e virou-se de novo para o céu.

— Vou tentar. Qual é a nuvem mesmo?

Olhei, e a nuvem, o monstro com um milhão de toneladas de água, desaparecera; só havia um buraco feio no céu azul no lugar em que ela estivera.

— Caramba — disse eu, tranquilo.

— Um trabalho que vale a pena fazer... — citou ele. — Não, por mais que eu queira aceitar os elogios que você me faz, devo lhe dizer com toda a honestidade o seguinte: é fácil.

Ele apontou para um tufinho de nuvem acima de nós.

— Pronto. É a sua vez. Preparado? Um, dois, três e já!

Olhei para aquele fiapo de coisa, e ele olhou para mim. Pensei que tinha desaparecido, imaginei um espaço vazio onde ele estava, lancei-lhe montes de raios térmicos, pedi-lhe que reaparecesse em outro lugar, e lentamente, em um minuto, cinco, sete, a nuvem afinal desapareceu. Outras nuvens cresceram, a minha se foi.

— Você não é muito rápido, não é mesmo? — perguntou ele.

— Foi a minha primeira vez! Estou começando! Contra o impossível... bem, o improvável, e você fica aí dizendo que não sou muito rápido. Foi brilhante, e você sabe disso!

— Extraordinário. Você estava tão ligado a ela, e, no entanto, ela desapareceu para você.

— Ligado! Eu estava bombardeando aquela nuvem com tudo o que tinha! Balas de fogo, raios laser, aspirador de pó do tamanho de um quarteirão...

— Ligações negativas, Richard. Se você quiser mesmo tirar uma nuvem da sua vida, não complique tanto, apenas se descontraia e tire-a de seu pensamento. E só isso.

Uma nuvem não sabe
por que se move em tal
direção e em tal
velocidade,

era o que o *Manual* tinha a dizer.

Sente um impulso... é para
este lugar que devo ir agora. Mas o céu sabe
os motivos e desenhos
por trás de todas as nuvens,
e você também saberá, quando
se erguer o suficiente
para ver além dos
horizontes.

11

Nunca lhe dão
um desejo sem também
lhe darem
o poder de realizá-lo.
Você pode
ter de trabalhar por ele,
porém.

Tínhamos pousado num pasto imenso junto de um açude de mais de um hectare, longe de cidades, em algum lugar da fronteira entre Illinois e Indiana. Não havia passageiros; era o nosso dia de folga, pensei.

— Escute — disse ele. — Não escute. Fique aqui quieto e olhe. O que você vai ver não é milagre algum. Leia o seu livro de física atômica... até uma criança pode andar sobre a água.

Após falar aquilo, como se não percebesse que a água estava ali, virou-se e caminhou sobre a superfície do açude. Parecia que esta era uma miragem do calor do verão sobre um lago de pedra. Ele estava firme na superfície, e nem uma onda passou por cima de suas botas de aviador.

— Venha — disse ele. — Venha fazer isso.

Vi com os meus olhos. Era possível, obviamente, de modo que fui para junto dele. Parecia que estava caminhando sobre um linóleo azul límpido, e ri.

— Donald, o que é que você está fazendo comigo?

— Estou apenas lhe mostrando o que todos aprendem, mais cedo ou mais tarde — disse ele —, e você está à mão, agora.

— Mas estou...

— Olhe. A água pode ser sólida.

Bateu o pé e o som era o de couro sobre pedra.

— Ou não.

Tornou a bater e a água espirrou sobre nós dois.

— Pegou o jeito? Experimente.

Como nos acostumamos depressa com esses milagres! Em menos de um minuto comecei a achar que andar sobre a água é possível, é natural, é... bom, e daí?

— Mas se a água é sólida agora, como podemos bebê-la?

— Do mesmo jeito que andamos sobre ela, Richard. Não é sólida e não é líquida. Você e eu resolvemos o que será para nós. Se quiser que seja líquida, então pense que assim é, aja como se fosse líquida, beba-a. Se quiser que seja ar, aja como se fosse ar, respire-a. Experimente.

Talvez isto aconteça na presença de uma alma evoluída, pensei, ou dentro de um raio de 15 metros de onde um deles está...

Ajoelhei na superfície e mergulhei minha mão no açude. Líquido. Depois me deitei, pus o rosto dentro daquele azul e respirei, confiante. Parecia que respirava um oxigênio quente e líquido, sem me sufocar ou engasgar. Sentei-me e olhei para ele, indagador, esperando que soubesse o que se passava em minha cabeça.

— Fale — disse ele.

— Por que tenho de falar?

— Você pode definir melhor o que sente em palavras. Fale.

— Se podemos andar sobre a água, respirá-la e bebê-la, por que não podemos fazer o mesmo com a terra?

— Sim. Bom, você notará...

Ele caminhou até a margem com a mesma facilidade com que andaria sobre um lago pintado. Mas quando seus pés tocaram a terra, a areia e o capim na margem, ele começou a afundar, até que, com alguns passos vagarosos, estava mergulhado até os ombros na terra e no capim. Era como se o açude, de repente, tivesse se tornado uma ilha e a terra em volta se tornado um mar. Ele nadou um pouco no pasto, salpicando gotas escuras de lodo por todos os lados, depois flutuou sobre ele, ergueu-se e caminhou. Em um momento, foi milagroso ver um homem *andar sobre a terra*!

Fiquei de pé no açude, aplaudindo sua execução. Ele se curvou em agradecimento e aplaudiu a minha.

Caminhei até a margem do açude, pensei que a terra era líquida e toquei-a com o dedo do pé. Ondas se espalharam em círculos, no capim.

Qual a profundidade do solo? Quase fiz a pergunta em voz alta. O solo será da profundidade que eu pensar que seja. Sessenta centímetros, pensei, terá 60 centímetros de profundidade e vou tocar o fundo.

Pisei na margem, confiante, e afundei, cabeça e tudo, caindo instantaneamente. Estava escuro lá embaixo, assustador, e lutei para voltar à tona, prendendo a respiração, agitando os braços para encontrar um pouco de água sólida onde pudesse me agarrar.

Ele ficou sentado na grama, rindo de mim.

— Você é um discípulo notável, sabia disso?

— Não sou discípulo coisa nenhuma! Tire-me daqui!

— Saia sozinho.

Parei de me debater. Imaginando a terra líquida novamente sólida, posso sair direto. Assim fiz... e saí, coberto de uma crosta de poeira preta.

— Rapaz, a gente se suja mesmo fazendo isso!

Sua camisa azul e seu jeans estavam sem manchas e sem uma poeirinha sequer.

— Aaaa! — Sacudi a poeira do meu cabelo, bati na cabeça para tirá-la dos ouvidos. Por fim, larguei a carteira na grama, fui até a água líquida e me limpei da maneira tradicional. — Sei que existe um meio melhor de me limpar do que este.

— Há um meio mais rápido, sim.

— Não me conte, claro. Fique aí rindo de mim, deixando que eu imagine tudo sozinho.

— Combinado.

Por fim, pingando água, tive de voltar ao *Fleet* para trocar de roupa. Pendurei as roupas molhadas nos cabos do avião, para secarem.

— Richard, não se esqueça do que fez hoje. É fácil esquecer nossos momentos de conhecimento, pensar que foram sonhos ou velhos milagres, um dia. Nada de bom é milagre, nada de lindo é um sonho.

— O mundo é um sonho, diz você, e é lindo, às vezes. O pôr do sol. Nuvens. Céu.

— Não. A imagem é um sonho. A beleza é real. Consegue ver a diferença?

Assenti com a cabeça, quase compreendendo. Mais tarde olhei disfarçadamente o *Manual.*

O mundo
é o seu caderno, as páginas
em que você faz suas somas.
Não é a realidade,
embora você possa exprimir a realidade
ali, se quiser.
Você também
tem liberdade de escrever tolices,
ou mentiras, ou rasgar
as páginas.

O

pecado original é

limitar o Ser.

Não o faça.

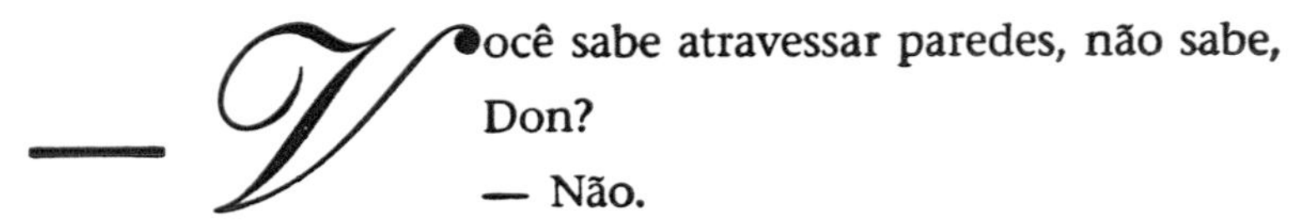

— Você sabe atravessar paredes, não sabe, Don?

— Não.

— Quando responde "não" a alguma coisa que sei que é "sim", isso quer dizer que não gostou da minha maneira de formular a pergunta.

— Somos muito observadores, não é mesmo? — disse ele.

— O problema é com *atravessar* ou com *paredes*?

— Sim, e pior ainda. A sua pergunta supõe que existo em um lugar-tempo limitado e passo a outro lugar-tempo. Hoje não estou disposto a aceitar suas suposições a meu respeito.

Fechei a cara. Ele sabia o que eu estava perguntando. Por que não me dava uma resposta direta e me deixava tentar descobrir como fazia essas coisas?

— Essa é minha maneira de ajudá-lo a ser preciso em seu raciocínio — disse ele, com brandura.

— Claro. Você pode criar a ilusão de que é capaz de atravessar paredes, se quiser? A pergunta assim está melhor?

— Sim. Melhor. Mas se deseja ser preciso...

— Não me diga. Sei como dizer o que quero dizer. Eis a minha pergunta: como é que você pode mover a ilusão de um senso limitado de identidade, expressa nessa crença de um espaço-tempo contínuo como o seu "corpo", através da ilusão de restrição material que se chama "parede"?

— Muito bem! — disse ele. — Quando você formula a pergunta direito, ela já encerra a sua própria resposta, não?

— Não, a pergunta não se respondeu por si. Como é que você atravessa as paredes?

— RICHARD! Você estava quase acertando e estragou tudo! Não sei atravessar paredes... Ao dizer isso, você está supondo coisas que não suponho, e se as suponho, a resposta é: "Não sei."

— Mas é difícil dizer tudo com tanta precisão, Don. Não sabe o que quero dizer?

— Então, só porque alguma coisa é difícil, você desiste de fazê-la? Andar a princípio era difícil, mas você praticou e agora faz com que pareça algo fácil.

Dei um suspiro.

— É. Tudo bem. Esqueça a pergunta.

— Vou esquecer. O que pergunto é: você esquecerá?

Ele me olhou como se não tivesse nenhuma preocupação na vida.

— Você está dizendo que o corpo e a parede são ilusões, mas a identidade é real e isso não pode ser restringido pelas ilusões — argumentei.

— Não estou dizendo isso. Você é que o está fazendo.

— Mas é verdade.

— Naturalmente — disse ele.

— Como é que você faz?

— Richard, você não faz nada. Você já vê a coisa feita; ela existe.

— Puxa, isso parece fácil.

— É a mesma coisa que caminhar. Não imagina como foi difícil para você aprender.

— Don, atravessar paredes para mim agora não é difícil, é impossível.

— Você acha que se disser *impossível* várias vezes, mil vezes, de repente as coisas difíceis se tornarão fáceis?

— Desculpe. É possível, e farei isso quando for a hora certa.

— Ele anda sobre a água, pessoal, e está desanimado porque não atravessa paredes.

— Mas aquilo foi fácil e isso...

— Valorize suas limitações e terá de conservá-las — entoou ele. — Há uma semana, você não nadou dentro da terra?

— Isso eu fiz.

— E a parede não é apenas uma terra vertical? Importa-lhe tanto assim a direção em que segue a ilusão? As ilusões horizontais são conquistáveis, mas as verticais não o são?

— Acho que estou começando a entendê-lo, Don.

Ele olhou para mim e sorriu.

— Quando começo a me fazer entender, está na hora de deixá-lo sozinho por uns momentos.

O último prédio da cidade era um armazém de rações e cereais, um lugar grande, feito de tijolos cor de laranja. Foi como se ele tivesse resolvido pegar um caminho diferente de volta aos aviões, usando algum beco secreto como atalho. Esse atalho foi através da parede de tijolos. Ele virou abruptamente para a direita, para dentro da parede, e desapareceu. Hoje penso que, se tivesse virado imediatamente com ele, também poderia ter atravessado. Mas parei na calçada e fiquei olhando para o lugar em que ele estivera. Quando estendi a mão e toquei a parede, era de tijolos, tijolos sólidos.

— Um dia, Donald — disse eu. — Um dia... — Segui sozinho o resto do caminho de volta aos aviões.

— Donald — disse, ao chegar ao campo —, cheguei à conclusão de que você não vive neste mundo.

Ele me olhou sobressaltado de cima da asa, onde estava aprendendo a pôr gasolina no tanque.

— Claro que não. Pode apontar uma pessoa que viva?

— Como assim, se posso apontar uma pessoa que viva? EU! *Eu* vivo neste mundo!

— Excelente — disse ele, como se, por um estudo independente, eu tivesse descoberto um mistério oculto. — Lembre-me de convidá-lo para almoçar hoje... Fico maravilhado porque você nunca para de aprender.

Fiquei intrigado com aquilo. Ele não estava sendo sarcástico nem irônico; falava sério.

— O que quer dizer? Claro que vivo neste mundo. Eu e mais uns sete bilhões de outras pessoas. *Você* é que...

— Ah, por Deus, Richard! Você está falando sério! Cancele o almoço. Nem hambúrguer, nem refresco, nada! E eu que estava pensando que você tivesse atingido esse conhecimento importante...

Interrompeu-se e me olhou com uma pena contrariada.

— Você tem certeza disso. Vive no mesmo mundo, não é, que um... corretor de valores, digamos? A sua vida foi toda desmantelada, imagino, pela nova política monetária... revisão obrigatória nos ministérios, com um prejuízo para o investimento dos acionistas de mais de cinquenta por cento? Você vive no mesmo mundo que um jogador de xadrez de campeonatos? Com o Campeonato Aberto de Nova York sendo realizado esta semana, com Petrosian, Fischer e Browne em Manhattan por um prêmio de meio milhão de dólares, o que você está fazendo num pasto em Maitland, Ohio? Você, com o seu biplano *Fleet 1929* pousado num campo de uma fazenda, tendo como prioridades essenciais de vida a permissão do fazendeiro, as pessoas que querem passear de avião por dez minutos, a manutenção de motor de aviões Kinner e um medo mortal de tempestades de granizo... quantas pessoas acha que vivem em seu mundo? Você diz que sete *bilhões* de pessoas vivem em seu mundo? Você está aí na minha frente me dizendo que sete bilhões de pessoas não vivem em sete bilhões de mundos diferentes, quer me explicar isso? — Ele estava ofegante com aquele discurso rápido demais.

— Já estava quase sentindo o gosto daquele hambúrguer, com o queijo se derretendo... — falei.

— Desculpe. Eu teria tido muito prazer em comprá-lo. Mas, ah, isso passou, é melhor esquecer.

Embora tenha sido esta a última vez em que o acusei de não viver neste mundo, levei muito tempo para compreender as palavras do *Manual*:

Se
você treinar
para ser uma ficção
por algum tempo, compreenderá
que personagens de ficção às
vezes são mais reais do que
pessoas de carne e osso
e corações pulsando.

A sua
consciência é
a medida da
honestidade de seu egoísmo.
Escute-a com
cuidado.

— Somos todos livres para fazer o que quisermos fazer — disse ele, naquela noite. — Isso não é simples, limpo e claro? Não é uma bela maneira de se dirigir o Universo?

— Quase. Você se esqueceu de uma parte importante — repliquei.

— Ah, é?

— Somos todos livres para fazer o que quisermos, contanto que não prejudiquemos os outros — ralhei. — Sei que você quer dizer isso, mas deve dizer o que quer dizer.

Ouvimos um ruído de arrastar de pés no escuro, e olhei depressa para ele.

— Ouviu isso?

— Ouvi. Parece que é alguém...

Ele se levantou e foi andando pelo escuro. De repente riu, e disse um nome que não entendi.

— Está certo — eu o ouvi dizer. — Não, teremos prazer em sua companhia... não precisa ficar aí de pé... venha, seja bem-vindo, mesmo...

A voz tinha um sotaque forte, não era propriamente russo, nem tcheco, parecia mais da Transilvânia.

— Obrigado. Não quero importuná-los com minha presença...

O homem que ele trouxe consigo para junto do fogo era... bem, era uma figura incomum de se encontrar no Meio-Oeste, de noite. Um sujeitinho pequeno, magro, com cara de lobo, de aspecto assustador, vestido a rigor, uma capa preta forrada de cetim vermelho, que estava incomodado com a luz.

— Estou de passagem — disse ele. — O campo é um atalho para a minha casa...

— É mesmo?

Shimoda não estava acreditando no homem, sabia que ele estava mentindo, e ao mesmo tempo se esforçava ao máximo para não dar uma gargalhada. Eu esperava poder compreender dentro em pouco.

— Fique à vontade — falei. — Podemos ajudá-lo em alguma coisa?

Não me sentia assim tão disposto a ajudá-lo, mas ele era tão tímido que eu queria deixá-lo à vontade, se conseguisse.

Olhou-me com um sorriso desesperador, que me fez gelar.

— Sim, vocês podem me ajudar. Preciso muito disso, caso contrário não pediria. Posso beber o seu sangue? Só um pouco? É o meu alimento, preciso de sangue humano...

Talvez fosse o sotaque, ou então fui eu que não entendi direito o que ele disse, mas pus-me de pé o mais depressa possível, o capim voando para dentro do fogo, com a minha rapidez.

O homem recuou. Em geral sou inofensivo, mas não sou pequeno, e posso ter parecido ameaçador. Ele virou a cabeça para o outro lado.

— Senhor, sinto muito! Desculpe. Por favor, esqueça o que disse sobre o sangue! Mas sabe...

— O que você está dizendo? — Eu estava ainda mais feroz por estar amedrontado. — Que *diabo* está dizendo, homem? Não sei o que você é, mas é alguma espécie de VAM...?

Shimoda me interrompeu antes que eu pudesse completar a palavra.

— Richard, o nosso convidado estava falando e você o interrompeu. Por favor, continue, senhor; o meu amigo é um pouco apressado.

— Donald, este cara...

— Silêncio!

Aquilo me surpreendeu tanto que calei a boca, e olhei com uma espécie de indagação apavorada para o homem, que agora se parecia bastante, de fato, com um vampiro humano, atraído do escuro pelo nosso fogo.

— Por favor, compreendam. Não fui eu que escolhi nascer vampiro. É uma infelicidade. Não tenho muitos amigos. Mas preciso de certa quantidade de sangue fresco toda noite, senão me contorço com dores terríveis. Se passar mais tempo sem ele, morro! Por favor, ficarei muito mal, morrerei, se não me permitir sugar o seu sangue... uma pequena quantidade, preciso apenas de meio litro.

Ele deu um passo em minha direção, lambendo os lábios, achando que de algum modo Shimoda me controlava e faria com que eu me submetesse.

— Mais um passo e vai haver sangue, sim. Cara, se me tocar, você morre...

Eu não teria matado, mas queria pelo menos detê-lo até termos conversado mais.

Ele deve ter acreditado em mim, pois parou e suspirou. Virou-se para Shimoda.

— Já conseguiu o que queria?

— Acho que sim. Obrigado.

O vampiro me olhou e sorriu, completamente à vontade, divertindo-se imensamente, como um ator num palco após a peça.

— Não beberei o seu sangue, Richard — disse então, num inglês perfeito e com simpatia, sem qualquer sotaque. Enquanto olhava para ele, foi sumindo, como se estivesse apagando sua própria luz... em cinco segundos desapareceu.

Shimoda tornou a sentar-se junto ao fogo.

— Fico sempre contente por você não falar a sério as coisas que diz!

Eu ainda estava tremendo, da adrenalina, pronto para a minha luta contra o monstro.

— Don, não sei bem se fui feito para isto. Talvez seja bom você me contar o que está acontecendo. Como, por exemplo, o que... era aquilo?

— Dot era um vompiro da Tronsilvânia — disse ele, num sotaque mais estranho do que o do vampiro. — Ou, para ser mais preciso, Dot era a *forma de pensamento* de um vompiro da Tronsilvânia. Se algum dia você quiser explicar alguma coisa e achar que a pessoa não está escutando, arranje uma forminha de pensamento para demonstrar o que quer dizer. Acha que exagerei, com a capa, os dentes e aquele sotaque? Estava muito apavorante para você?

— A capa foi de primeira, Don. Mas foi o mais estereotipado, bárbaro... não fiquei nada apavorado.

Ele suspirou.

— Ah, bem. Pelo menos você entendeu o que eu queria dizer, e é isso que interessa.

— O que era?

— Richard, ao reagir com tanta ferocidade contra o meu vampiro, você estava fazendo o que queria fazer, mesmo sabendo que iria prejudicar outra pessoa. Ele chegou a lhe dizer que ficaria mal se...

— Ele queria sugar o meu sangue!

— É isso que fazemos com qualquer pessoa quando dizemos que ficaremos mal se elas não viverem do nosso jeito!

Fiquei calado muito tempo, pensando. Sempre achei que fôssemos livres para fazer o que quiséssemos desde que não fizéssemos mal mutuamente, e isso não condizia com o que acontecera. Faltava alguma coisa.

— O que o intriga — disse ele — é uma frase feita que, na verdade, é impraticável. A questão é *fazer mal aos outros*. Nós mesmos escolhemos se vamos ser feridos ou não, aconteça o que acontecer. Somos nós que resolvemos, e mais ninguém. O meu vampiro lhe disse que ficaria mal se você não o deixasse beber seu sangue? Isso foi a decisão dele de ser ferido, foi a escolha dele. O que você faz a respeito é a sua decisão, a sua escolha: dá-lhe o sangue; ignora-o; amarra-o; enfia um galho de azevinho no coração. Se ele não quiser o galho de azevinho, tem liberdade de resistir, do jeito que desejar. E isso continua indefinidamente, escolhas e mais escolhas.

— Pensando assim...

— Escute — disse ele —, é importante. *Somos todos. Livres. Para fazer. O que quisermos. Fazer.*

14

Pessoas,
todos os fatos da sua vida
aí estão porque
você os pôs ali.
O que você vai fazer
com eles cabe a você
resolver.

— Você nunca se sente só, Don? — Foi no café em Ryerson, Ohio, que lembrei de perguntar.

— Espanta-me que...

— Shhh — falei. — Ainda não acabei com a pergunta. Você nunca se sente nem um pouco só?

— O que você considera...

— Espere. Todas essas pessoas, só as vemos por alguns minutos. De vez em quando vejo um rosto no meio do povo, alguma mulher linda, brilhante como uma estrela, e me dá vontade de ficar e falar com ela, ficar ali parado, sem me mexer e conversar um pouco. Mas ela voa comigo durante dez minutos, ou não voa, e vai embora, e no dia seguinte parto para Shelbyville e nunca mais a vejo. Isso é solidão. Mas imagino que eu não possa ter amigos duradouros, quando eu mesmo não sou duradouro.

Ele ficou calado.

— Ou será que posso?

— Posso falar agora?

— Creio que sim. — Os hambúrgueres naquele café vinham embrulhados pela metade em papel laminado, e, quando eram desembrulhados, as sementes de gergelim se espalhavam por toda parte. Coisinhas inúteis, mas os hambúrgueres eram bons.

Ele comeu calado e eu também, imaginando o que ele diria.

— Bem, Richard, somos ímãs, não somos? Ímãs, não. Somos ferro, envolvido em fio de cobre, e sempre que queremos nos magnetizar podemos fazê-lo. Se despejarmos a nossa voltagem interna pelo fio, podemos atrair tudo que quisermos atrair. Um ímã não se preocupa com o modo como funciona. Ele é ele mesmo, e por sua natureza atrai certas coisas, deixando outras intocadas.

Comi uma batata frita e franzi a testa, olhando para ele.

— Você omitiu uma coisa. Como é que faço isso?

— Você não faz coisa alguma. A lei cósmica, lembra-se? Os semelhantes se atraem. Basta você ser o que é, calmo e límpido e brilhante. Enquanto brilhamos como somos, perguntando-nos a cada instante se é isso o que realmente queremos fazer, só o fazendo quando a resposta for positiva, isso automaticamente repele aqueles que nada têm a aprender com quem somos e atrai aqueles que têm, e com os quais podemos aprender também.

— Mas isso exige muita fé, e enquanto isso a gente fica muito só.

Ele olhou para mim estranhamente, por cima do hambúrguer que comia.

— A fé é uma mistificação. Não precisa de fé nenhuma. Precisa mais é de imaginação. — Ele limpou a mesa entre nós, empurrando para o lado o sal e as batatas fritas, o ketchup, garfos e facas, e fiquei pensando o que iria acontecer, o que se materializaria diante dos meus olhos. — Se você tiver a imaginação como um grão de gergelim — disse ele, empurrando uma semente como exemplo para o meio da clareira —, todas as coisas lhe serão possíveis.

Olhei para a semente de gergelim, e depois para ele.

— Eu gostaria que vocês Messias se juntassem e se pusessem de acordo. Pensei que o negócio fosse ter fé, quando o mundo se vira contra mim.

— Não. Eu quis corrigir isso, quando trabalhava, mas a luta foi árdua e longa. Há dois mil anos, há cinco mil anos, não existia uma palavra para imaginação, e a fé foi o melhor que conseguiram arranjar para um bando solene de adeptos. Além disso, não tinham sementes de gergelim.

Eu sabia que tinham sementes de gergelim, sim, mas deixei passar aquela falha.

— Então devo imaginar essa magnetização? Imagino alguma linda dama, sábia e mística, aparecendo no meio do povo de um campo de feno em Tarragon, Illinois? Posso fazer isso, mas é só isso, é apenas a minha imaginação.

Ele olhou para o céu com um ar de desespero, céu que no momento era representado pelo teto de chapa de metal e luz fria do Café Em & Edna.

— Apenas a sua imaginação? Claro que é a sua imaginação! Este mundo é a sua imaginação, já se esqueceu disso? *Onde está o seu pensamento, aí está a sua experiência; Como o homem pensar, assim será ele; Aquilo que receei aconteceu-me; Pense e enriqueça: Visualização criativa para o divertimento e lucro; Como fazer amigos sendo quem você é.* A sua imaginação não muda o Ser em nada, não afeta a realidade em absoluto. Mas estamos falando sobre mundos da Warner Brothers, vidas da MGM, e cada segundo dessas vidas são ilusões e imaginações. Todos sonhos como símbolos que nós, sonhadores despertos, conjuramos para nós.

Ele alinhou seu garfo e faca, como se estivesse construindo uma ponte do lugar dele até o meu.

— Você se pergunta o que seus sonhos representam? É o mesmo que faz quando olha para as coisas da sua vida desperto e pergunta o que representam. Você, com os aviões em sua vida, cada vez que se vira.

— Bem, Don, sim. — Eu preferia que ele fosse mais devagar e não me empilhasse isso tudo de uma vez; um quilômetro e meio por minuto é depressa demais para ideias novas.

— Se você sonhasse com aviões, o que é que isso significaria para você?

— Bom, a liberdade. Sonhos com aviões são uma fuga, e eu me libertando.

— E ainda quer maior clareza? O sonho desperto é o mesmo: a sua vontade de livrar-se de todas as coisas que o prendem... a rotina, a autoridade, a chateação, a gravidade. O que você ainda não entendeu é que já está livre, e sempre esteve. Se você tivesse a metade das sementes de gergelim disso... você já é o senhor supremo da sua vida de mágico. *Apenas* a imaginação! O que é que você está dizendo?

A garçonete olhava para ele com estranheza de vez em quando, enxugando a louça, escutando, matutando quem seria aquele homem.

— Então você nunca se sente só, Don? — perguntei.

— A não ser que sinta vontade disso. Tenho amigos em outras dimensões que se encontram em volta de mim, de vez em quando. E você também.

— Não. Estou falando desta dimensão, esse mundo imaginário. Mostre-me o que você quer dizer, dê-me um milagrezinho do ímã... Quero mesmo aprender isso.

— É você quem vai me mostrar — disse ele. — Para pôr alguma coisa em sua vida, imagine que ela já está aí.

— Como o quê? Como a minha linda dama?

— Qualquer coisa. Não a sua dama. Uma coisa pequena, a princípio.

— Devo praticar agora?

— Sim.

— Tá... *Uma pena azul.*

Ele olhou para mim francamente.

— Richard? Uma pena azul?

— Você disse qualquer coisa.

Ele deu de ombros.

— Sim. Uma pena azul. Imagine a pena. Visualize-a claramente, de modo a poder ver todas as suas linhas e bordas, a ponta, o cálamo. Só por um minuto. Depois pare.

Fechei os olhos por um minuto e vi com nitidez, em minha mente, uma imagem de uns 12 centímetros de comprimento, de um azul iridescente, prateando-se nas bordas. Uma pena brilhante e nítida flutuando no escuro.

— Envolva-a numa luz dourada, se quiser. Essa é uma técnica que ajuda a tornar a coisa real, mas também funciona no magnetismo.

Envolvi a pena num brilho dourado.

— Feito.

— Pronto. Pode abrir os olhos agora.

Abri os olhos.

— Onde está minha pena?

— Se estava nítida em seu pensamento, nesse instante mesmo ela o estará atropelando como um caminhão.

— Minha pena? Como um caminhão?

— Em sentido figurado, Richard.

Durante toda a tarde esperei que a pena aparecesse e nada aconteceu. Foi de tardinha, na hora do jantar, comendo um hambúrguer, que a vi. Numa figurinha no invólucro do leite. Embalada para a Leiteria Scott pelas Fazendas da Pena Azul, Bryan, Ohio.

— Don! A minha pena!

Ele olhou e deu de ombros.

— Pensei que quisesse a pena de verdade.

— Bem, qualquer pena serve, para começar, não acha?

— Você viu a pena sozinha, ou a estava segurando na mão?

— Sozinha.

— Então está explicado. Se você quiser estar com aquilo que está magnetizando, tem de se colocar na cena, também. Perdão por não ter esclarecido esse ponto.

Uma sensação estranha, bizarra. Funcionava! Tinha conscientemente magnetizado a minha primeira coisa.

— Hoje uma pena — disse eu —, amanhã o mundo!

— Cuidado, Richard — disse ele, me provocando —, ou se arrependerá...

15

A
verdade que você
fala não tem passado
nem futuro.

Ela é,
e é tudo que
precisa ser.

Eu estava deitado de costas debaixo do *Fleet,* limpando o óleo da parte inferior da fuselagem. Não sei como, o motor estava espirrando menos óleo do que antes. Shimoda levou um passageiro num voo e depois veio sentar-se na grama perto de mim enquanto eu trabalhava.

— Richard, como é que você pode ter esperanças de impressionar o mundo quando todas as outras pessoas trabalham para viver e você vive de modo irresponsável, dia a dia, no seu biplano maluco, vendendo passeios? — Estava me testando de novo. — É uma pergunta que vão lhe fazer mais de uma vez.

— Bem, Donald. Primeira parte: Não existo para impressionar o mundo. Existo para viver a minha vida de um modo que me faça feliz.

— Entendi. Segunda parte?

— Segunda parte: Todo mundo é livre para fazer o que quiser para ganhar a vida. Terceira parte: O Responsável é Capaz de Responder, capaz de responder pelo jeito de viver que escolhemos. Só há uma pessoa a quem temos de dar satisfações, claro, o que é...?

— Nós mesmos — disse Don, respondendo em nome da multidão imaginária de pesquisadores sentados em volta de nós.

— Não temos nem de responder a nós mesmos, se não o quisermos... Não há nada de mau em ser irresponsável. Mas a maioria de nós acha mais interessante saber como agimos do jeito que agimos, por que escolhemos certas coisas... quer seja olhar para um passarinho, pisar numa formiga ou trabalhar por dinheiro em alguma coisa que preferíamos não fazer. — Fiz uma careta. — Será uma resposta muito longa?

Ele concordou.

— Muito longa.

— É... E como é que você espera impressionar o mundo... — Saí de sob o avião e descansei um momento na sombra das asas. — Que tal permitir que o mundo viva como quiser e me permitir viver como eu quiser?

Ele me lançou um sorriso feliz e orgulhoso.

— Falou como um verdadeiro Messias! Simples, direto, mas isso não responde à pergunta, a não ser que alguém se dê ao trabalho de pensar bem a respeito.

— Experimente mais comigo.

Era uma delícia ver a minha própria mente funcionar, quando fazíamos isso.

— "Mestre" — disse ele. — "Quero ser amado, sou bondoso, faço aos outros o que quero que me façam, mas apesar de tudo não tenho amigos e estou sozinho." Como vai responder a isso?

— Sei lá — repliquei. — Não tenho a menor ideia do que vou dizer.

— O QUÊ?

— É só uma piadinha, Don, para animar a noite. Piadinha para variar.

— Acho bom ter muito cuidado com essa história de animar a noite, Richard. Os problemas não são brincadeiras e jogos para as pessoas que o procuram, a não ser que estejam mesmo muito evoluídas, e esse tipo é sempre o próprio Messias. Está recebendo as respostas, portanto apresente-as. Experimente esse negócio de "sei lá" e verá com que rapidez a multidão pode queimar um sujeito na fogueira.

Eu me aprumei, orgulhoso.

— Ó vós que buscais, vinde a mim procurando uma resposta e a vós responderei: O Mandamento de Ouro não funciona. Gostaríeis de encontrar um masoquista que fizesse aos outros o que desejaria que lhe fizessem? Ou um adorador do Deus Crocodilo, que anseia pela honra de ser lançado vivo ao poço? Até mesmo o Samaritano, que começou tudo isso... O que o levou a pensar que o homem que encontrou deitado à margem da estrada queria que lhe pusessem unguento nas feridas? E se o homem estivesse aproveitando aqueles momentos de sossego para se curar espiritualmente, apreciando aquele desafio? — Aquilo me pareceu convincente.

"Mesmo que o Mandamento fosse mudado para *Fazei aos outros o que querem que lhes façam* não podemos saber ao certo o que os outros desejam que lhes façam. O que o Mandamento significa e o modo de aplicá-lo com honestidade é o seguinte: *Fazei aos outros o que realmente quereis fazer aos outros.* Se vos defrontardes com um masoquista com esse mandamento, não tereis de açoitá-lo com seu chicote simplesmente porque seria isso que ele desejaria que lhe fizésseis. Tampouco tereis de lançar o adorador aos crocodilos. — Olhei para ele. — Muito prolixo?

— Como sempre. Richard, você vai perder noventa por cento de seu público se não aprender a *ser breve*!

— Bem, e que mal há em perder noventa por cento de meu público? — retruquei. — Que mal há em perder TODO o meu público? Sei o que sei e digo o que digo! E se estiver errado, então sinto muito. Os voos de avião são três dólares, em espécie!

— Sabe de uma coisa? — Shimoda levantou-se, espanando o capim de seu jeans.

— O quê? — perguntei petulante.

— Você acabou de se diplomar. Que tal ser Mestre?

— Muito frustrante.

Olhou-me com um sorriso infinitesimal.

— A gente se acostuma — disse ele.

Eis aqui
um teste para verificar
se a sua missão na Terra está
cumprida:
Se você está vivo,
não está.

As lojas de ferragens são sempre compridas, com prateleiras que se estendem eternamente.

Fui à loja de ferragens de Hayward, pois precisava de porcas, pinos e arruelas de segurança para o deslizador da cauda do *Fleet*. Shimoda olhava as coisas com paciência enquanto eu procurava, pois ele, naturalmente, não precisava de nada de uma loja de ferragens. A economia entraria em colapso, pensei, se todos fossem como ele, fabricando o que quisessem de formas de pensamento e do ar, consertando as coisas sem peças nem mão de obra.

Afinal encontrei a meia dúzia de porcas de que precisava e levei-as ao balcão, de onde saía uma música suave. "Greensleeves", uma melodia que me acompanha alegremente desde menino, era tocada num alaúde, de um alto-falante escondido... Estranho encontrar aquilo numa cidade de 400 habitantes.

Acontece que era estranho para Hayward, também, pois não havia alto-falante algum. O proprietário estava sentado inclinado para trás em seu banquinho de madeira, escutando o Messias tocar as notas num violão barato, de seis cordas, da prateleira dos saldos. Era um som lindo e fiquei ali em silêncio, pagando os 73 centavos e novamente encantado com a melodia. Talvez fosse o tom metálico do instrumento, mas ainda parecia longínquo e nublado, como se da Inglaterra do outro século.

— Donald, que beleza! Não sabia que tocava violão.

— Não sabia? Você acha então que alguém podia chegar perto de Jesus Cristo, dar-lhe um violão e ouvi-lo dizer: "Não sei tocar esse negócio."? Ele teria dito isso?

Shimoda recolocou o instrumento no lugar e saiu comigo.

— Se aparecesse alguém falando russo ou persa, você acha que algum Mestre que mereça a sua aura não saberia o que estava sendo dito? Se ele quisesse dirigir um trator D-10 ou pilotar um avião, não saberia fazê-lo?

— Então você realmente sabe todas as coisas, não é?

— E você também, naturalmente. Só que eu sei que sei todas as coisas.

— Eu poderia tocar violão assim?

— Não, você teria o seu estilo, diferente do meu.

— Como é que se faz? — Não pretendia correr de volta à loja e comprar o violão, estava apenas curioso.

— É só largar todas as inibições e ideias de que não sabe tocar. Pegue naquilo como se fizesse parte de sua vida, como de fato faz, em alguma vida alternada. Saiba que o certo é você tocá-lo bem, e deixe que o seu ser não consciente tome conta de seus dedos e toque.

Eu tinha lido alguma coisa a respeito disso, a aprendizagem hipnótica, em que se dizia aos discípulos que eles eram mestres de arte, e assim tocavam, pintavam e escreviam como artistas.

— É uma coisa difícil, Don, deixar de saber que não sei tocar violão.

— Então será difícil para você tocar violão. Levará anos de prática até conseguir fazê-lo direito, até que a sua mente consciente lhe diga que você já sofreu bastante e conquistou o direito de tocar bem.

— Por que não custei a aprender a pilotar? Dizem que é difícil, mas aprendi rápido.

— Você queria voar?

— Nada me interessava mais! Mais que tudo! Olhava para as nuvens e para a fumaça da chaminé de manhã, subindo reta e calma, e via... Ah, já sei. Você vai dizer: "Nunca sentiu isso quanto aos violões, não é?"

— Nunca sentiu isso quanto aos violões, não é?

— E esse insight que estou tendo agora mesmo, Don, me diz que foi assim que você aprendeu a pilotar. Simplesmente entrou no *Travel Air,* um dia, e o pilotou. Nunca tinha estado num avião antes.

— Não.

— Você não fez prova para tirar o seu brevê? Não, espere. Você não tem brevê algum, tem? Um brevê oficial.

Ele me olhou de um modo estranho, com um sussurro de sorriso, como se eu o estivesse desafiando a apresentar um brevê e ele soubesse que podia fazê-lo.

— Você quer dizer, aquele papel, Richard? Esse tipo de licença?

— Sim, o pedaço de papel.

Não pôs a mão no bolso, nem tirou a carteira. Apenas abriu a mão direita e lá estava um brevê de aviador, como se estivesse esperando que eu perguntasse por ele. Não estava desbotado nem amassado, e achei que dez segundos antes nem sequer existia.

Mas eu o peguei. Era um certificado oficial de piloto, com o carimbo do Departamento dos Transportes, *Donald William Shimoda*, com um endereço em Indiana, piloto comercial licenciado para pilotar aviões comuns, monomotores e múltiplos, para voo com instrumentos e planadores.

— Não tem licença para pilotar hidroaviões ou helicópteros?

— Terei, se precisar — disse ele, tão misteriosamente que arrebentei de rir antes que ele mesmo começasse a rir.

O homem que varria a calçada olhou para nós e também sorriu.

— E eu? — perguntei. — Quero minha licença para avião comercial.

— Você vai ter de forjar suas próprias licenças — respondeu.

No programa de entrevistas de rádio de Jeff Sykes, vi um Donald Shimoda que nunca havia visto. O programa começou às nove horas e foi até a meia-noite, numa sala não maior do que uma oficina de relojoeiro, cheia de botões, painéis e prateleiras de rolos de anúncios.

Sykes começou perguntando se não havia algo de ilegal no fato de uma pessoa andar pelo país voando num avião muito antigo, levando passageiros.

A resposta é não, não há nada de ilegal nisso, os aviões são inspecionados com o mesmo cuidado que os jatos. São mais fortes e seguros do que a maioria dos modernos aviões de placas metálicas; as únicas exigências são o brevê e a permissão do fazendeiro. Mas Shimoda não disse nada disso.

— Ninguém pode nos impedir de fazer o que queremos fazer, Jeff — disse ele.

Ora, isso é bem verdade, mas não tem o tato necessário para quando se está falando com um público radiofônico que quer saber o que está acontecendo com esses aviões voando por aí. Um minuto depois, os telefones começaram a piscar na mesa de Sykes.

— Temos um telefonema na linha um — disse Sykes. — Pode falar, senhora.

— Estou no ar?

— Sim, senhora, está no ar, e o nosso convidado é o Sr. Donald Shimoda, piloto de aviões. Pode falar, está no ar.

— Bem, quero dizer a esse camarada que nem todo mundo consegue fazer o que quer e algumas pessoas têm de trabalhar para ganhar a vida e têm um pouco mais de responsabilidade do que ficar voando por aí!

— As pessoas que trabalham para ganhar a vida estão fazendo o que mais gostam de fazer — disse Shimoda. — Tanto quanto as pessoas que brincam para ganhar a vida...

— O evangelho diz: "Pelo suor do teu rosto ganharás o teu pão, e no pesar comerás dele."

— Estamos livres para fazer isso também, se o quisermos.

— "Façam o que quiserem!" Estou farta de ouvir gente como você dizer isso! O que quiserem! Deixem todos à solta e destruirão o mundo. Já estão acabando com o mundo neste momento. Veja o que está acontecendo com as plantas, os rios e os oceanos!

Ela lhe deu cinquenta possibilidades de resposta diferentes e ele ignorou todas.

— Não faz mal que o mundo seja destruído — disse ele. — Existem mais um bilhão de outros mundos para nós criarmos e escolhermos. Enquanto as pessoas quiserem planetas, haverá planetas onde poderão viver.

Isso não era propriamente uma coisa que acalmasse a pessoa ao telefone e olhei para Shimoda, espantado. Estava falando do seu ponto de vista de perspectivas de muitas vidas, em que todas as coisas se equilibram. Quem telefonava naturalmente estava supondo que a conversa tinha a ver com a realidade deste mundo único, em que o nascimento é o início, e a morte, o fim. Ele sabia disso... por que o ignorava?

— Está tudo bem, é? — disse a pessoa, ao telefone. — Não existe o mal na Terra, nem pecado em volta de nós? Isso não o incomoda, não é?

— Nada nisso deve nos incomodar, senhora. Vemos apenas um pinguinho do conjunto que é a vida, e esse pinguinho é falso. Tudo se equilibra, e ninguém sofre e morre sem o seu próprio consentimento. Ninguém faz o que não quer fazer. Não existe o bem nem o mal, além do que nos torna felizes e do que nos torna infelizes.

Nada acalmava a senhora ao telefone. Mas, de repente, ela parou e disse, com simplicidade:

— Como é que sabe tudo isso que diz? Como é que sabe que o que diz é verdade?

— Não sei se é verdade — disse ele. — Acredito nisso porque é divertido acreditar.

Apertei os olhos. Ele podia ter dito que tinha experimentado e que funcionava... As curas, os milagres, a vida prática, que tornavam seus pensamentos verdadeiros e funcionais. Mas não disse nada. Por quê?

Havia um motivo. Eu estava com os olhos semicerrados, a maior parte da sala era cinza, só uma imagem turva de Shimoda se inclinando para falar ao microfone. Ele dizia tudo diretamente, sem fazer paralelos, sem qualquer esforço para ajudar as pessoas a compreenderem.

— Todas as pessoas que já realizaram algo, todas as que já foram felizes, todas as que já deram alguma dádiva ao mundo foram almas divinamente egoístas, vivendo em seu próprio interesse. Sem exceção.

O próximo ouvinte era um homem, e a noite voava.

— Egoístas! Cavalheiro, sabe o que é o Anticristo?

Por um segundo, Shimoda sorriu e se descontraiu na cadeira. Parecia que conhecia a pessoa ao telefone pessoalmente.

— Talvez o senhor queira me dizer — disse ele.

— Cristo falou que temos de viver para os nossos semelhantes. O Anticristo disse para sermos egoístas, vivermos para nós e deixarmos os outros irem para o inferno.

— Ou para o céu, ou para onde queiram ir.

— O senhor é perigoso, sabe disso, cavalheiro? E se todo mundo lhe desse ouvidos e fizesse o que bem entendesse? O que acha que aconteceria então?

— Acho que este seria provavelmente o planeta mais feliz desta parte da galáxia — disse ele.

— Cavalheiro, não sei bem se quero que meus filhos ouçam o que está dizendo.

— O que é que seus filhos querem ouvir?

— Se somos todos livres para fazer o que quisermos, então tenho a liberdade de ir para esse campo com a minha espingarda e dar um tiro nessa sua cabeça de vento.

— Claro que tem liberdade para fazer isso.

Ouviu-se um estalo forte na linha. Em algum lugar naquela cidade havia pelo menos um homem zangado. Os outros, bem como as mulheres zangadas, estavam ao telefone; todos os botões da máquina estavam acesos e piscando.

Não precisava ser assim; ele poderia ter dito as mesmas coisas de modo diferente sem melindrar ninguém.

Caía sobre mim a mesma sensação que tivera em Troy, quando o povo irrompeu e o cercou. Estava na hora, era evidente que estava na hora de irmos andando.

O *Manual* não ajudou nada, ali no estúdio.

A fim de
viver livre e feliz,
você tem de sacrificar
o tédio.
Nem sempre o sacrifício
é fácil.

Jeff Sykes contara a todo mundo quem éramos, que os nossos aviões estavam parados no campo de feno de John Thomas, e que dormíamos de noite sob as asas.

Senti aquelas ondas de raiva, de gente assustada pela moral de seus filhos e pelo futuro do modo de vida americano, e nada daquilo me deixou muito feliz. Ainda havia uma meia hora de programa e tudo estava ficando cada vez pior.

— Sabe, cara, acho que você é um impostor — disse um outro ao telefone.

— Claro que sou um impostor! Somos todos impostores neste mundo, todos fingimos ser alguma coisa que não somos. Não somos corpos andando por aí, não somos átomos nem moléculas, somos ideias imortais e indestrutíveis do Ser, por mais que acreditemos em outras coisas...

Ele teria sido o primeiro a me lembrar que eu tinha a liberdade de partir, se não gostasse do que estava dizendo, e teria rido de meus receios de multidões pretendendo nos linchar, esperando com tochas junto aos aviões.

18

Não fique
triste nas despedidas.
Uma despedida é necessária antes
de vocês poderem se encontrar
outra vez.
E se encontrar de novo,
depois de momentos ou
de vidas, é certo para
os que são
amigos.

No dia seguinte, ao meio-dia, antes de as pessoas chegarem para voar, ele parou junto à minha asa.

— Lembra-se do que você disse quando descobriu o meu problema, que ninguém iria ouvir, por mais milagres que eu realizasse?

— Não.

— Lembra-se daquele tempo, Richard?

— Sim, me lembro. Você pareceu tão solitário, de repente. Não me lembro do que eu disse.

— Você disse que se eu dependesse de as pessoas se importarem com o que eu digo estaria dependendo dos outros para a minha felicidade. Foi isso que vim aprender aqui: *não importa que eu me comunique ou não*. Escolhi toda essa vida para partilhar com qualquer pessoa o modo como o mundo é feito, e bem podia tê-la escolhido para não dizer coisa alguma. O Ser não precisa de mim para dizer às pessoas como funciona.

— Isso é óbvio, Don. Eu podia ter lhe dito isso.

— Muito obrigado. Descubro a única ideia que motivou essa minha vida, concluo o trabalho de toda uma vida e ele diz: "Isso é óbvio, Don."

Estava rindo, mas também estava triste, e na ocasião eu não sabia por quê.

19

A marca
de sua ignorância é a profundidade
da sua crença na injustiça
e na tragédia.

O que a lagarta
chama de fim do mundo,
o Mestre chama de
borboleta.

As palavras do *Manual* na véspera foram o único aviso que tive. Num segundo, havia o grupo normal de pessoas, esperando para voar, o avião dele taxiando na chegada, parando num remoinho de vento da hélice, uma cena natural e boa para mim, que olhava de cima da asa do *Fleet*, enquanto punha combustível no tanque. No segundo seguinte, ouviu-se um barulho como o de um pneu explodindo, e o povo também explodiu e correu. O pneu do *Travel Air* estava intacto, o motor girava em ponto morto como o fazia um momento antes, mas havia um buraco de cerca de 30 centímetros na tela por baixo da cabine do piloto. Shimoda estava jogado do outro lado, a cabeça caída, sem se mexer.

Gastei alguns milésimos de segundo para compreender que Donald Shimoda levara um tiro, e outros para largar a lata de combustível e saltar de cima da asa, correndo. Parecia uma cena de filme, uma peça representada por amadores, um homem com uma espingarda fugindo com todos os outros, tão perto de mim que eu poderia tê-lo cortado com um sabre. Lembro-me agora de que ele não me interessou. Não estava enraivecido, chocado ou mesmo horrorizado. A única coisa que importava era chegar à cabine do *Travel Air* o mais depressa possível e falar com o meu amigo.

Parecia que ele tinha sido atingido por uma bomba, a metade esquerda do seu corpo era só couro, pano e carne despedaçados, e sangue, uma massa ensopada e vermelha.

Sua cabeça estava abaixada junto ao botão impressor de combustível, no canto direito inferior do painel de instrumentos, e de repente pensei que, se estivesse com seu cinto de segurança, não teria sido impelido para a frente daquele jeito.

— Don! Você está bem? — Palavras de tolo.

Ele abriu os olhos e sorriu. Seu próprio sangue estava espalhado por seu rosto.

— Richard, como é que lhe parece?

Senti um alívio enorme ao ouvi-lo falar. Se ele podia falar, se podia pensar, estaria bem.

— Bem, se não soubesse, meu chapa, diria que você está com um problema e tanto.

Ele não se mexeu, a não ser a cabeça, um pouquinho, e de repente fiquei outra vez assustado, mais pela sua quietude do que pela sujeira e pelo sangue.

— Não pensei que você tivesse inimigos.

— Não tenho. Esse foi... um amigo. É melhor não ter... alguém cheio de ódio criando uma porção de problemas... na vida dele... me assassinando.

O assento e os painéis do lado da cabine estavam cheios de sangue — seria um trabalho e tanto limpar o *Travel Air* de novo, embora o avião em si não estivesse muito danificado.

— Isso tinha de acontecer, Don?

— Não... — disse ele, numa voz fraca, mal respirando. — Mas acho... gosto do drama...

— Bem, vamos andando! Cure-se! Com o pessoal que vem chegando, vamos ter de voar muito!

Mas enquanto brincava com ele, a despeito de toda a sua sabedoria e compreensão da realidade, o meu amigo Donald Shimoda caiu mais em direção ao botão de combustível e morreu.

Ouvi um tumulto, o mundo tombou e escorreguei pelo lado da fuselagem rasgada para o capim vermelho e molhado. Parecia-me que o peso do *Manual* no meu bolso me inclinava para o lado, e quando bati em terra ele caiu, o vento lentamente folheando as páginas.

Peguei o *Manual*, sem forças. Será assim que termina, pensei, será que tudo o que um Mestre diz não passa de um amontoado de palavras bonitas que não podem salvá-lo do primeiro ataque de um cão danado?

Tive de ler três vezes antes de conseguir acreditar que fossem aquelas as palavras na página.

Tudo
neste livro
pode estar
errado.

No outono, eu tinha ido para o sul, com o calor. Os campos bons eram poucos, mas o povo aumentava cada vez mais. As pessoas sempre gostaram de voar no biplano, e naqueles tempos mais e mais ficavam para conversar e tostar os marshmallows na minha fogueira.

De vez em quando alguém que não estava realmente muito mal dizia que se sentia melhor depois das conversas, e as pessoas no dia seguinte me olhavam com estranheza e se aproximavam curiosas. Mais de uma vez parti cedo.

Não aconteciam milagres, embora o *Fleet* funcionasse melhor do que nunca, e com menos combustível. Tinha parado de vazar óleo e quase cessara de matar insetos com a hélice e o para-brisa. Era o ar mais frio, com certeza, ou então os camaradinhas estavam ficando mais espertos e se desviavam.

Não obstante, o tempo parara para mim naquele meio-dia de verão em que Shimoda fora morto. Era um fim que eu não conseguia entender e no qual não acreditava: rememorava aquilo mil vezes, esperando que, de algum modo, pudesse mudar. Mas nunca mudou. O que eu deveria ter aprendido naquele dia?

Uma noite, em fins de outubro, depois de, tomado pelo medo, largar uma multidão no Mississippi, desci num lugarzinho vazio, justo o tamanho suficiente para o *Fleet* pousar.

Mais uma vez, antes de adormecer, pensei naquele último momento — por que ele morreu? Não havia motivo para isso. Se o que ele disse era verdade...

Agora não havia ninguém com quem conversar, com quem aprender, ninguém para perseguir e atacar com minhas palavras, para afiar a minha mente recém-aguçada. Eu? Sim, mas eu não era nem de longe tão divertido quanto fora Shimoda, que ensinava me mantendo sempre na defensiva com o meu caratê espiritual.

Pensando nisso dormi, e dormindo, sonhei.

Ele estava ajoelhado na grama de uma campina, de costas para mim, remendando o buraco no lado do *Travel Air*, onde estivera o furo da rajada da espingarda. Havia um rolo de tela de avião Tipo-A e uma lata de verniz de butirato ao seu lado.

Sabia que estava sonhando e também que isso era real.

— DON!

Ele se levantou devagar e virou-se, sorrindo diante de meu pesar e da minha alegria.

— Oi, cara — disse ele.

Eu mal enxergava, por causa das lágrimas. Não existe a morte, não existe morte alguma e aquele homem era o meu amigo.

— Donald!... *Você está vivo!* O que está tentando fazer? — Corri, abracei-o e ele era real. Senti o couro do seu casaco de aviador, apertei seus braços dentro do casaco.

— Oi — disse ele. — Você se importa? O que estou tentando fazer é remendar esse buraco aqui.

Estava tão contente por vê-lo que nada era impossível.

— Com o verniz e a tela? — perguntei. — Com o verniz e a tela você está tentando remendar...? Não é assim que se faz, a gente *o vê perfeito*, já pronto...

Ao dizer essas palavras passei minha mão sobre o buraco sangrento e esfarrapado e, quando a tirei, o buraco sumira. Restava ali apenas um avião intacto, pintado como um espelho, a tela sem costuras, do nariz à cauda.

— Então é assim que você faz! — disse ele, os olhos escuros orgulhosos do aprendiz vagaroso que afinal se saíra bem como mecânico espiritual.

Não achei estranho: no sonho, era aquela a maneira de fazer o serviço.

Havia uma frigideira sobre a fogueira ao lado da asa.

— Está cozinhando alguma coisa, Don! Sabe, nunca o vi cozinhar. O que é?

— Pão de panela — disse ele, com displicência. — A última coisa que quero fazer em sua vida é lhe mostrar como se faz isso.

Cortou dois pedaços com o canivete e me deu um deles. O gosto ainda está comigo, enquanto escrevo... gosto de serragem e cola de livro velha, aquecida em banha.

— Que tal? — perguntou ele.

— Don...

— A Vingança do Fantasma — riu-se ele. — Fiz isso com gesso.

Pôs o seu pedaço de volta na frigideira.

— Para lembrar-lhe que, se algum dia quiser fazer alguém aprender, faça-o, com a sua sabedoria, e não com o seu pão de panela, OK?

— NÃO! Se me ama, ama o meu pão de panela! É o esteio da vida, Don!

— Muito bem. Mas posso garantir: o seu primeiro jantar com qualquer pessoa será o último, se lhe der esse negócio.

Nós rimos e nos calamos, e olhei para ele, no silêncio.

— Don, você está bem, não está?

— Espera que eu esteja morto? Ora vamos, Richard!

— E isso não é um sonho? Não me esquecerei de que o vi agora?

— Não. Isso é um sonho. É um espaço-tempo diferente e qualquer espaço-tempo diferente é um sonho para uma pessoa sã, coisa que você ainda será por algum tempo. Mas você se lembrará, e isso transformará o seu pensamento e a sua vida.

— Eu o verei de novo? Você vai voltar?

— Não creio. Quero passar além dos tempos e espaços... Já estou lá, para dizer a verdade. Mas há esse laço entre nós, entre mim e você e os outros de nossa família. Você encontra um problema, fica com ele na cabeça, vai dormir e nos encontramos aqui junto ao avião e conversamos a respeito, se você quiser.

— Don...

— O quê?

— Por que a espingarda? Por que aquilo aconteceu? Não vejo poder nem glória em se ter o coração despedaçado e arrancado do corpo.

Ele se sentou no capim junto da asa.

— Como eu não era um Messias iniciante, Richard, não tinha de provar nada a ninguém. E como você precisa ser treinado para não se perturbar com as aparências, *nem se entristecer com elas* — acrescentou ele, pesadamente —, algumas aparências sangrentas no seu treinamento cairiam bem. E é divertido para mim, também. Morrer é como mergulhar num lago profundo num dia quente. Há o choque da mudança brusca e fria, a dor, por um segundo, e depois a aceitação é o nadar na realidade. No entanto, depois de tantas vezes, até mesmo o choque se atenua.

Depois de algum tempo ele se levantou.

— Só algumas pessoas se interessam pelo que você tem a dizer, mas não faz mal. Não se julga a qualidade do Mestre pelo tamanho do seu público, lembre-se.

— Don, vou tentar, prometo. Mas fugirei para sempre assim que parar de me divertir com esse trabalho.

Ninguém tocou no *Travel Air*, mas sua hélice girou, seu motor soltou uma fumaça azul fria, e o ruído rico e límpido ressoou na campina.

— Promessa aceita, mas... — Ele me olhou e sorriu, como se não me compreendesse.

— Mas o quê? Fale. Palavras. Diga-me. O que há de errado?

— Você não gosta das multidões — disse ele.

— Não me puxando, não. Gosto de conversar e trocar ideias, mas aquele negócio de adoração por que você passou, e a dependência... Espero que você não me peça... Já fugi...

— Talvez eu seja apenas burro, Richard, e talvez não veja algo de óbvio que você vê perfeitamente, e se não o vejo, quer fazer o favor de me dizer o que é? Mas por que não escrevê-lo num papel? Existe uma regra segundo a qual um Messias não pode escrever o que acredita ser verdade, as coisas que o divertiram, que funcionam para ele? Se as pessoas não gostarem do que ele diz, quem sabe, em vez de o matarem, poderão queimar suas palavras, bater nas cinzas com um pau? E se gostarem, podem tornar a ler as palavras, ou escrevê-las na porta de uma geladeira, ou brincar com as ideias que fazem sentido para elas. Há algum mal em escrever? Mas talvez eu seja apenas um idiota.

— Num livro?

— Por que não?

— Você sabe o *trabalho* que dá...? Fiz um voto de não escrever mais uma palavra na minha vida!

— Ah! Desculpe — disse ele. — Aí está. Não sabia disso.

Pisou na asa inferior do avião e depois entrou na cabine.

— Bem, até qualquer dia. Fique firme, e tudo o mais. Não deixe que as multidões peguem você. Tem certeza de que não quer escrever?

— Nunca — disse eu. — Nunca mais, nem uma palavra.

Ele deu de ombros, calçou as luvas, empurrou o manete para a frente, e o ruído do motor explodiu e girou em volta de mim até eu despertar sob a asa do *Fleet* com os ecos do sonho ainda nos ouvidos.

Eu estava sozinho, e o campo estava quieto como a neve verde do outono sobre a madrugada e o mundo.

Então, só de brincadeira, ainda sem ter despertado completamente, peguei o meu diário e comecei a escrever, um Messias num mundo de outros, sobre o meu amigo:

1. Houve um Mestre que veio à Terra, nascido na terra santa de Indiana,

Este livro foi composto na tipologia ITC Stone Serif
Std, em corpo 10/18, e impresso em
papel off-set 90g/m² no Sistema Cameron da
Divisão Gráfica da Distribuidora Record.